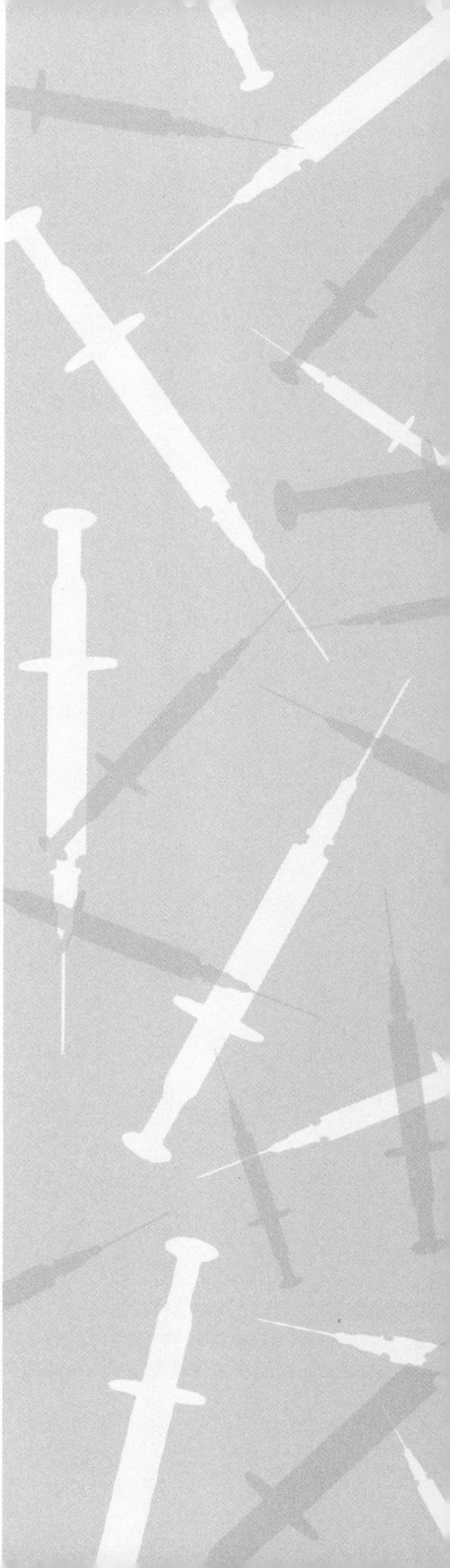

杉本正信 著

新型コロナワクチン

遺伝子ワクチンによるパンデミックの克服

東京化学同人

はじめに

新型コロナウイルスによる肺炎の発生が最初に報告されたのは、中華人民共和国湖北省武漢市において、二〇一九年一二月のことでした。この肺炎は瞬く間に世界中に広まりました。ちなみに、一年後の二〇二〇年一二月の感染者数は、世界全体で七八七〇万人以上、死者は一七三万人以上に達しています（米国ジョンズ・ホプキンス大学のまとめ）。

人類は感染症の世界的大流行（パンデミック）に何度も遭遇してきました。感染症に有効なワクチンも薬もない時代では、人類は滅亡の淵に追い込まれるような危機をいくども経験しましたが、免疫をはじめとする生体防御システムのおかげでかろうじて生き延びてきました。そして、ワクチンや薬の開発により、感染症はそれほど恐ろしいものではなくなりつつありました。しかし、ウイルスはそれほどあまい存在ではありませんでした。一〇〇年前には、スペイン風邪（インフルエンザ）により世界中で五〇〇〇万人以上の死者がでました。今回の新型コロナウイルス感染症では、二〇二一年四月二五日現在、感染者は一億四五二二万人、死者は三〇八万人に達しています。感染を防止するために人々の交流が制限され、そのためにひき起こされている経済的な危機は、多くの人々の実感するところとなりました。感染症の恐怖は、決して過去のものではないことを思い知りました。

幸いなことに、遺伝子操作などを駆使して開発されたいわゆる「遺伝子ワクチン」が、これまでにないスピードで開発され、ようやく日本国内でも、二〇二一年二月七日に、新型コロナウイルス感染症に対するワクチン接種が始まりました。今のところ世界で接種の始まった遺伝子ワクチンは、メッセンジャーＲＮＡ（ｍＲＮＡ）ワクチンとウイルスベクター（ＶＶ）ワクチンですが、いずれもこれまで人体にあまり用いられたことのないタイプのものです。そのために、副反応を恐れている方もいるでしょう。しかし、これらのワクチン開発の背景には、四〇年前から積み重ねられた基礎研究があります。

本書では、遺伝子ワクチンの全貌を紹介します。そして、世界保健機関（ＷＨＯ）の主導による天然痘の根絶など、人類のパンデミック克服の歴史を振り返り、そこから引き出される教訓について考えます。さらに、将来人類を襲う可能性のあるパンデミックの備えに対する展望も考えてみたいと思います。

杉本正信

二〇二一年五月

目次

第1章　過去のパンデミックの克服と教訓

新型コロナウイルス感染症の正式名称はCOVID−19、ウイルスの正式名称はSARS−CoV−2です。本書では、特に必要のない場合は「新型コロナウイルス感染症（新型コロナ）」および「新型コロナウイルス」という言葉を使用します。

新型コロナでは重篤な肺炎で命を落とす人がいる一方で、大部分の人は無症状、あるいは軽い風邪のような症状で回復するといわれています。命を落とすのは高齢者や糖尿病などの基礎疾患をもつ人が大部分です。しかし、軽症とはいっても、その症状は意外とつらいものであったり、後遺症に悩まされたりする若い人も出ています。無症状、あるいは軽症で済むというのが誤ったメッセージとなり、感染拡大に歯止めがかからず、感染は広がる一方であるというのが現状です。人々の接触は極度に制限され、そのために経済的な打撃が深刻なものとなっています。新型コロナのパンデミックは、第二次世界大戦以来の最大の災禍といってもよい状態です。

まず本章では、過去の、ワクチンによりコントロールされたヒトおよび動物の感染症のパンデミックを振り返り、その教訓を引き出すと共に、新しい「遺伝子ワクチン」を紹介します。今回の新型コロナのパンデミックが終焉したとしても、その後には新たな感染症によるパンデミックが起こる危険性もあります。今回の新型コロナの経験は、将来のパンデミックに備えるための多くの教訓を残しているでしょう。ワクチンを中心に、過去、現在、そして未来のパンデミックとの向き合い方についても幅広く論じたいと思います。

１　パンデミックとは

パンデミックとは世界的な感染症の流行のことで、複数の国や大陸を越えて拡散します。図１・１にみられるとおり、新型コロナウイルス感染症は典型的なパンデミックです。もう一つの例としては、ほぼ一〇〇年前に大流行したスペイン風邪があります。動物由来のウイルスを起源とすることが多いようです。航空機による人々の交流が盛んになったことが、パンデミックを広げる大きな要因の一つになっています。関連して、エンデミックとエピデミックという言葉の意味も説明しておきましょう。

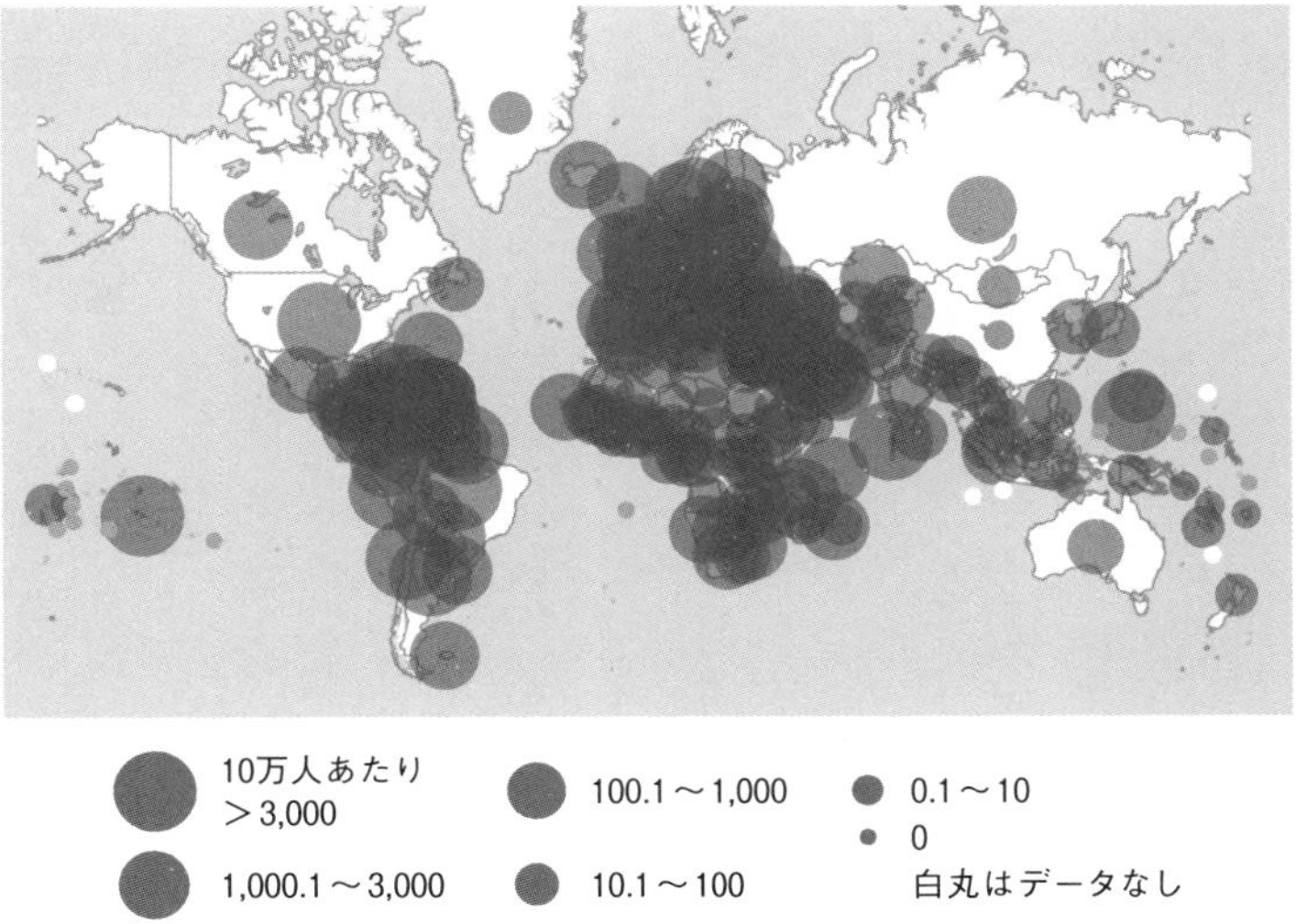

図 1・1　地図でみる新型コロナウイルスの感染者数［WHO ホームページ「WHO Coronavirus (COVID-19) Dashboard」2021 年３月１日より］

エンデミックとは、特定の社会・共同体で感染症が広がることで、季節性インフルエンザが典型的な例です。

エピデミックは、特定の社会・共同体で、感染症が通常の予測の範囲を越えて短時間に広がりますが、一時的です。国を越えることもあります。コロナウイルスでひき起こされたSARS（重症急性呼吸器症候群）、MERS（中東呼吸器症候群）が含まれます。

それでは、まず、ヒト感染症の中で人類史上初めてにして唯一、ワクチンを用いて根絶できた天然痘からみていきましょう。

2　天然痘の根絶

世界初のワクチン

人類が経験したパンデミックの中で特筆されるべきものは、天然痘（痘瘡《とうそう》）でしょう。天然痘は、紀元前より、伝染力が非常に強く死に至る疫病として人々から恐れられていました。急激な発熱、頭痛、四肢痛、腰痛などで始まり、発熱は二、三日で四〇℃以上に達します。小児では吐気・嘔吐、意識障害などもあります。麻疹あるいは猩紅熱《しょうこうねつ》にかかったときのような発疹が認められるのが普通です。発疹は、紅斑《こうはん》、水疱《すいほう》、膿疱《のうほう》などを経て、特徴的な痘痕《あばた》になります。致死率は、強毒なウイルスでは二〇～五〇％です。病原体の天然痘ウイルスは、ポックスウイルス科オルトポックスウイルス属に属する二本鎖ＤＮＡウイルスです。

図１・２は、天然痘患者が存在した最古の証拠といわれる、エジプトのラムセス五世（紀元前一一四一年死亡）のミイラです。痘痕は顔面下部などに認められます。

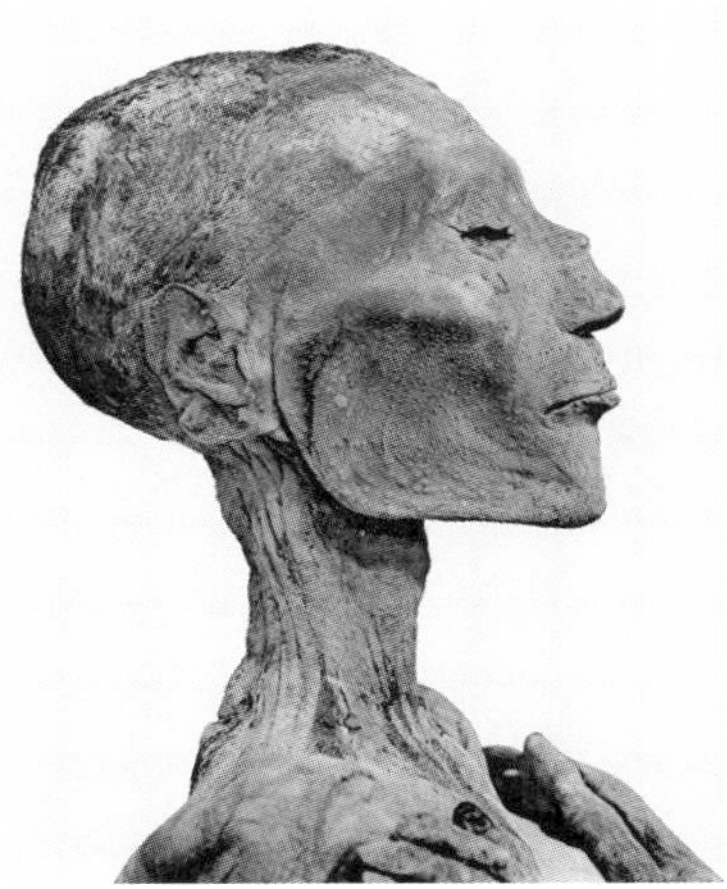

図 1･2 エジプトのラムセス５世（紀元前 1141 年死亡）のミイラにみられる痘痕

世界で初めてのワクチンは、この天然痘に対するワクチンでした。英国のエドワード・ジェンナーにより一七九八年に発明されました。牛痘に接する機会の多かった乳搾りの女性は天然痘にかかりにくいということにヒントを得て、彼は、牛痘の水疱を少年に接種しました。接種後、少年は天然痘を接種されても発病しませんでした。牛痘に含まれていたのは、上述した天然痘ウイルスと同じ仲間のワクチニアウイルス（ワクシニアウイルス）であることがわかっています。世界最初の**ワクチン**の誕生でした。

図１・３は、スウェーデンのワクチン接種前後における天然痘による死亡率の変化を示しますが、ワクチンの接種効果は明瞭

で、ワクチン接種が義務化された後には、死亡率が人口一〇〇万人あたり五一二六人から四〇〇人以下に激減しています。

天然痘根絶計画

世界保健機関（WHO）による天然痘根絶計画で実施された種痘（天然痘ワクチンの接種）により、天然痘は文字通り世界から根絶されました（WHOは一九八〇年に宣言）。これは、人類が成し遂げた特筆すべき偉業です。筆者はこのプロジェクトの最後の責任者であった蟻田功博士から、博士の著書『天然痘根絶ターゲット・0』（巻末の参考資料1）の英訳[2]をお手伝いする過程で、このプロジェクトを詳しく聞くことができました。

「世界天然痘根絶計画は、天然痘常時流行

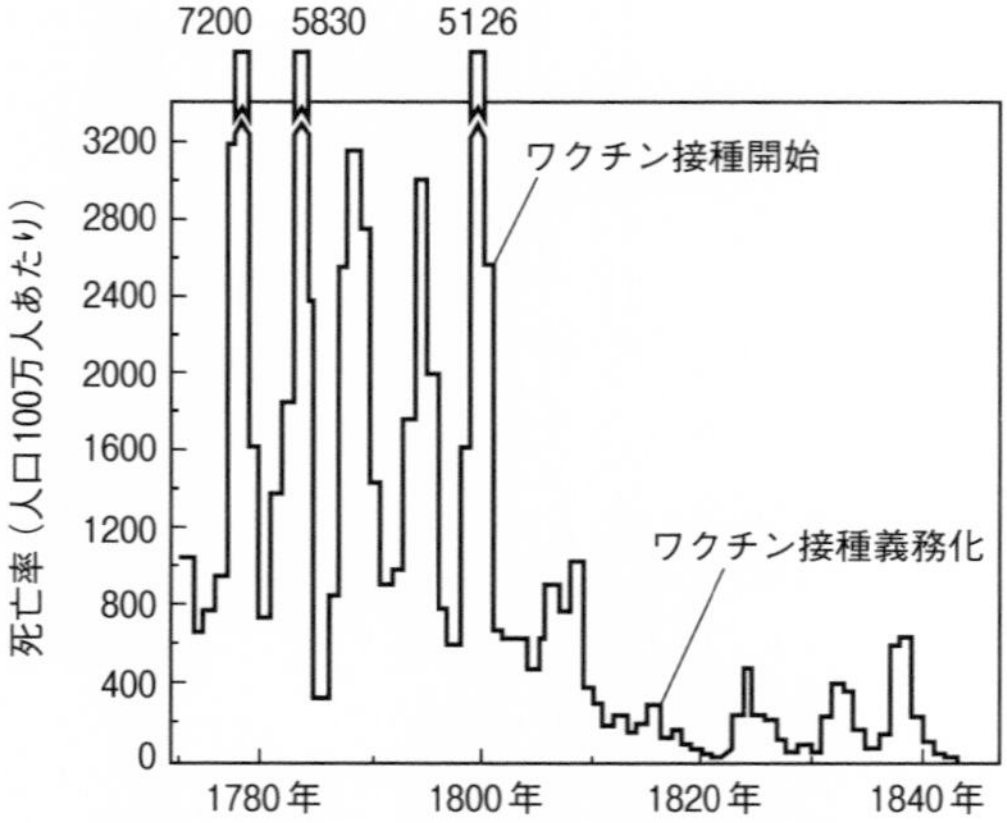

図 1･3　スウェーデン（1770–1843年）のワクチン接種前後における天然痘による死亡率の推移［D.A.Henderson, “Smallpox: The Death of a Disease”, Prometheus Books (2009) より］

国（南アメリカ、アフリカ・サハラ砂漠以南の地域、東南アジア）と先進国との共同作業でのみ達成できる。」とその本には記載されています。その概要は次のとおりです。

一九六六年、時のマルコリーノ・ゴメス・カンダウWHO事務局長は、天然痘対策について、「天然痘はヒト以外の動物には感染しないことがわかっているので、もし人間集団を種痘により免疫すれば、天然痘のヒトからヒトへの伝播は遮断され、天然痘は自然消滅する。」という方針を立てました。そして、一九六七年に一〇年にわたるWHOの天然痘根絶計画がスタートしたのです。なおワクチンの供給は、米国、ソ連（当時）、カナダ、英国、オランダなどが担いました。当時、米ソ冷戦下でしたが、ソ連が加わっていることに注目してください。

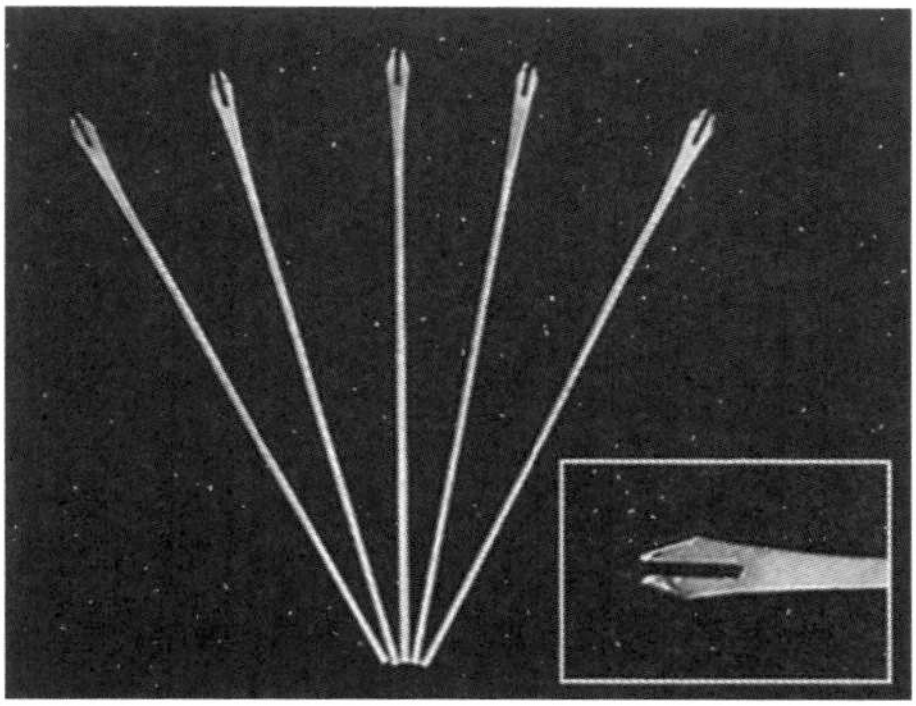

図 1・4　天然痘ワクチン接種に使用された二又針
ワクチン液に浸し，ヒトの皮膚に軽く刺すだけで効率よくワクチン接種できる．［国立感染症研究所感染情報センター天然痘研修会資料より］

技術的な側面に注目すると、根絶計画には三種の神器がありました。封じ込め作戦理論、良質ワクチン、二又針（図1・4）の三つです。封じ込め作戦とは、患者発見とその患者周辺の未接種者への種痘の実施、そしてできれば患者の自宅隔離を強化すること、でした。根絶計画が功を奏し、ソマリアの二三歳のアリ・マオ・マーランという青年の患者が自然感染した最後の天然痘患者になりました。一九七七年のことでした。

国際連携とワクチンの重要性

筆者は、天然痘根絶計画では、二つの教訓に特に注目しました。第一の教訓は国際連携の重要さです。米ソの冷戦のさなかにありながら、天然痘根絶はWHOの主導のもとに、今から考えると、国際連携が奇跡ともいえるほどうまく進んだのです。このことは、このプロジェクトの成功に大きく貢献しました。新型コロナとの闘いでも、一国のみで考えるのは無意味です。かりに優れたワクチンの開発が功を奏して先進国における流行が一時的に抑制されても、発展途上国での感染抑制が未解決であれば、先進国でもあっというまに再流行するでしょう。国際連携という観点からは、新型コロナでの現状は非常に悲観的なものがあります。米中の対立は激しいものがあり、そのはざまでWHOは迷走状態にあります。しかし、その一方で国際連携のいろいろな動きもあります。たとえば、「COVAX《コバックス》ファシリティ」は、新型コロナワクチンを、複数国で共同購入し、公平に分配するための国際的な枠組みです。二〇二〇年一二月時点の目標として、二〇二一年末までに、二〇億回分のワクチンを、「COVAXファシリティ」に参加するすべての国（現在一九〇カ国）の人々に公平に届けることを目指しているとのことです。

第二の教訓は、ワクチンが使いやすく、価格が安価なことです。このことに、世界中の隅々まで容易に接種が可能かどうかということがかかっています。天然痘根絶ではジェンナーが開発したワクチン、すなわち天然痘ワクチンが威力を発揮しました。これには牛痘ウイルス（現在ではワクチニアウイルスと考えられています）が使用されました。ワクチニアウイルスは熱にきわめて安定で、凍結乾燥品は熱帯地方の高温にも耐えることができ、溶液状態でも通常の冷蔵庫で保存したり、運搬したりすることができました。また、種痘に使用した二又針（図１・４）は、ワクチン液に浸し、ヒトの皮膚に軽く刺すだけでよく、使われるワクチンの液は微量で、きわめて安価にすんだのです。これらのことが可能になったのは、生ワクチンであったことが大きな理由でした。

この教訓を、新型コロナにあてはめて考えてみたいと思います。今のところ、接種の進んでいる遺伝子ワクチンにはメッセンジャーＲＮＡ（ｍＲＮＡ）ワクチンとウイルスベクター（ＶＶ）ワクチンがありますが、まず価格の点でＶＶワクチンはｍＲＮＡワクチンに比較してかなり安価です。二〇二一年二月の時点で一回接種あたりのワクチンの価格は、アストラゼネカ社のＶＶワクチンは約四ドルですが、ファイザー社のｍＲＮＡワクチンは約二〇ドル、モデルナ社のｍＲＮＡワクチンは約三〇ドルということです。扱いやすさという点でも、ＶＶワクチンはｍＲＮＡワクチンに比較して一日の長があります。分解されやすいｍＲＮＡを用いたワクチンはいずれも保管・運搬はマイナス二〇℃からマイナス八〇℃の超低温が必要です。また、ファイザー社のワクチンは物理的衝撃に弱いことが指摘されています。これらの差が出る理由は製造方法の違いによるのですが、このことについては、次章「新型コロナ遺伝子ワクチンの全貌」で詳しく述べます。

3 国民病だった結核

ウイルス感染症ではありませんが、わが国の国民病といわれ、正岡子規をはじめ幾多の有望な文学者をも死に追いやった細菌感染症の結核についても紹介しておきます(3)。

天然痘と同じくエジプトのミイラから典型的な結核の痕跡が見つかるなど、結核は人類の歴史と共にある古い病気です。日本では、明治以降の産業革命による人口集中に伴い、結核は国内にまん延し、「国民病」とよばれました。一九七一年に「結核予防法」が制定されて以降、結核の死亡率順位は常に二〇位以下となり、その深刻度は低下しています。

BCGワクチンと抗生物質の貢献

結核の抑え込みに貢献したものの一つにBCGワクチンがあります。BCGワクチンは結核の予防のための生ワクチンで、このワクチンを開発したフランス パスツール研究所の研究者の名前を冠した菌である *Bacille de Calmette et Guérin* の頭文字をとったものです。この菌は、本来ウシに感染するウシ型結核菌を、長期間かけて弱毒化したものです。BCGワクチンは、あらかじめ結核菌に対する免疫をもっているかどうかをツベルクリン反応（遅延型アレルギー反応）で判定し、陰性の人だけに接種されます。結核は、BCGワクチンの貢献もさることながら、リファンピシンやストレプトマイシンなどの抗生物質も功を奏して、さらには栄養状態の改善もあり、現在ではその脅威ははるかに低下しています。しかし、大都市の一部の結核罹患率は依然群を抜いており、集団感染事例があとをたたないことも事実です。

なお、BCGワクチン接種は新型コロナウイルス感染を抑制するのではないかとする仮説があり、第3章でふれます。

4　スペイン風邪　集団免疫による終焉

それでは、有効なワクチンや薬がない場合のパンデミックはどのような終焉を迎えたのか、スペイン風邪の例をみていきましょう。

一九一八年から一九二〇年にかけて起こったスペイン風邪のパンデミックでは、世界での死者が五〇〇〇万人以上と推定されています。これはA型インフルエンザの感染によるもので、流行は第一次世界大戦と重なっています。スペイン風邪（英語名スパニッシュインフルエンザ）の名前の由来は、第一次世界大戦中の士気維持のための情報統制により、ほかの国々ではほとんど報道されないなか、中立国であるスペインが報道したことによるとされています。スペイン風邪の起源は実際には不明ですが、複数の研究者は米国がその起源と考えています。

有効なワクチンも薬もなかった当時、この恐ろしいパンデミックは、結局、集団免疫で終焉しました。**集団免疫**とは、感染した後に免疫を獲得して生き延びた人の占める割合が多くなることで、集団全体が感染症に抵抗性を示すようになることです。

必ずしも集団免疫の考え方を積極的に推進したわけではないのですが、結果として新型コロナで集団免疫の成立に任せる政策に頼ることになった国があります。それはスウェーデンでした。スウェーデンでは厳格な都市封鎖などの対策をとらず、レストランや小売店は営業をつづけ、学校も閉鎖しませんでした。その結果、人口約一〇〇〇万人の同国で、死者は一万二〇〇〇人に達しています（二〇二一年三月二日）。スウェーデンの感染対策責任者は「ワクチンなしでの集団免疫達成は不可能」と語ったということです。同国のカール一六世グスタフ国王が新型コロナの対応について「私たちは失敗したと思う」と述べました（二〇二〇年一二月一七日）。この例からも、自然に成立する集団免疫を待つだけでなく、ワクチン接種による集団免疫の強化が、パンデミックの克服にとって最善の戦略であると結論されるでしょう。

5　家畜の伝染病　牛疫の根絶

古来、最も恐れられた伝染病は、ペストと天然痘でした。しかし、ウイルス学者で東京大学名誉教授の山内一也博士はその著書『史上最大の伝染病　牛疫』(4)で、「ペストや天然痘にまさる大きな影響を世界史に与えてきた伝染病として牛疫が存在していたことは、ほとんど知られていない。」と語っています。牛疫は文字通りウシの病気（疫）で人々に多大な損害を与えたのですが、ヒトには感染しないためにあまり知られていないのです。牛疫は四〇〇〇年前のエジプトのパピルスや旧約聖書にも記されている最も古い伝染病です（図１・５）。このように、古くから牛疫が注目されていたのは、ウシが農耕に重要な役割を

図 1·5　18 世紀のオランダで起こった牛疫パンデミックの様子
牛疫が欧州にもちこまれた.［J. Smit(II) *et al.*,“Boeren getroffen door runderpest”, 1745 より］

果たしていて、人々の大切な財産だったからです。

個人的なことにふれると、一九八〇年代、筆者は東燃基礎研究所において、遺伝子ワクチンの一つである「ウイルスベクターワクチン」の開発を行っていました。山内博士は、われわれの遺伝子ワクチンに注目し、牛疫ウイルスの病原性タンパク質をコードする遺伝子をワクチニアウイルスのゲノムに挿入したウイルスベクターワクチンを作製することを提案し、共同研究がスタートしました。今から振り返ると、第3章で述べるウシ白血病ウイルスのウイルスベクターワクチン開発と並んで、このころ、わが国において、本格的な動物実験を伴う家畜の遺伝子ワクチン開発がスタートした時期であったように思えます。

ちょうどこのころ、すなわち一九八七年、アフリカ統一機構と国連食糧農業機関（ＦＡＯ）は、アフリカの三四カ国を対象とした全アフリカ牛疫撲滅作戦を発足させました。ＦＡＯはさらに、一九八九年、中近東で西アジア牛疫撲滅作戦を発足させました。南アジアおよびインドでも同様な活動が開始され、ＦＡＯは一九九四年に全体をまとめた世界的な牛疫根絶計画を発足させました。

筆者はこのウイルスベクターワクチンの凍結乾燥品を得て、インドの獣医学研究所のムクテスワール支所を訪れて、ウシに接種しました。実験の結果は満足すべきもので、副反応はなく、ワクチン接種したウシに強毒の牛疫ウイルスを接種しても、一頭も病気になりませんでした。一方、ワクチン接種を受けなかったウシは、四〇℃以上の発熱、激しい下痢など、典型的な牛疫の症状を示して死にました。このウイルスベクターワクチンの最大の強みは耐熱性であることでした。耐熱性とは、ワクチンが熱に安定で、保存に冷蔵庫などを必要としないことです。熱帯地方での接種には重要な要件でした。その後も研究は進み、実用化一歩手前までいきました。

牛疫根絶計画では、最終的に耐熱性を高めた従来型の弱毒生ワクチンが採用され、このワクチンを用いて牛疫は世界から根絶されました。二〇一一年一一月、ＦＡＯが牛疫の根絶を宣言しました。ヒト以外の動物まで範囲を広げれば、二度目となる感染症根絶宣言となりました。

６　野生動物の狂犬病　遺伝子ワクチンの登場

実用化されて最初に大きな実績を残した遺伝子ワクチンは、狂犬病のウイルスベクターワクチンでした。

狂犬病のまん延を抑制するため、一九九〇年代中ごろには米国農務省動植物検疫局により全米狂犬病管理プログラム(5)が開始されました。狂犬病ワクチン入りの餌を、対象地区の地上に、あるいはヘリコプターなどで上空から散布するというもので、キツネなどの野生動物が餌を摂取するとワクチンも動物の体内に取込まれます。すると、動物は狂犬病ウイルスに対して免疫を獲得して、狂犬病にかからなくなります。過去三〇年間で、このプログラムは数えきれないほど多くの人や動物の命を救い、狂犬病の抑制に多大な成果をあげました。

図1・6には中央ヨーロッパとその周辺における経口狂犬病ワクチンの効果を示します[(6)]。それぞれの点はキツネ一匹の狂犬病の症例を示します。ワクチン接種は、一九八九年から二〇〇〇年に各国ごとにバラバラに実施されたようです。

中央ヨーロッパとその周辺の諸国（オーストリア、ハンガリー、ポーランド、チェコ共和国、スロバキア共和国、ベルギー、フランス、ドイツなど）は野生のキツネの狂犬病に悩まされていましたので、このワクチン接種でおおいに助かったのです。キツネを殺す方法で狂犬病を抑制するのは難しい作業ですし、動物愛護の観点からも好ましくありません。そこでワクチンの使用が考えられたのです。

狂犬病ワクチンとして不活化ワクチンも開発されましたがうまくゆかず、最終的には、ワクチニアウイルスの

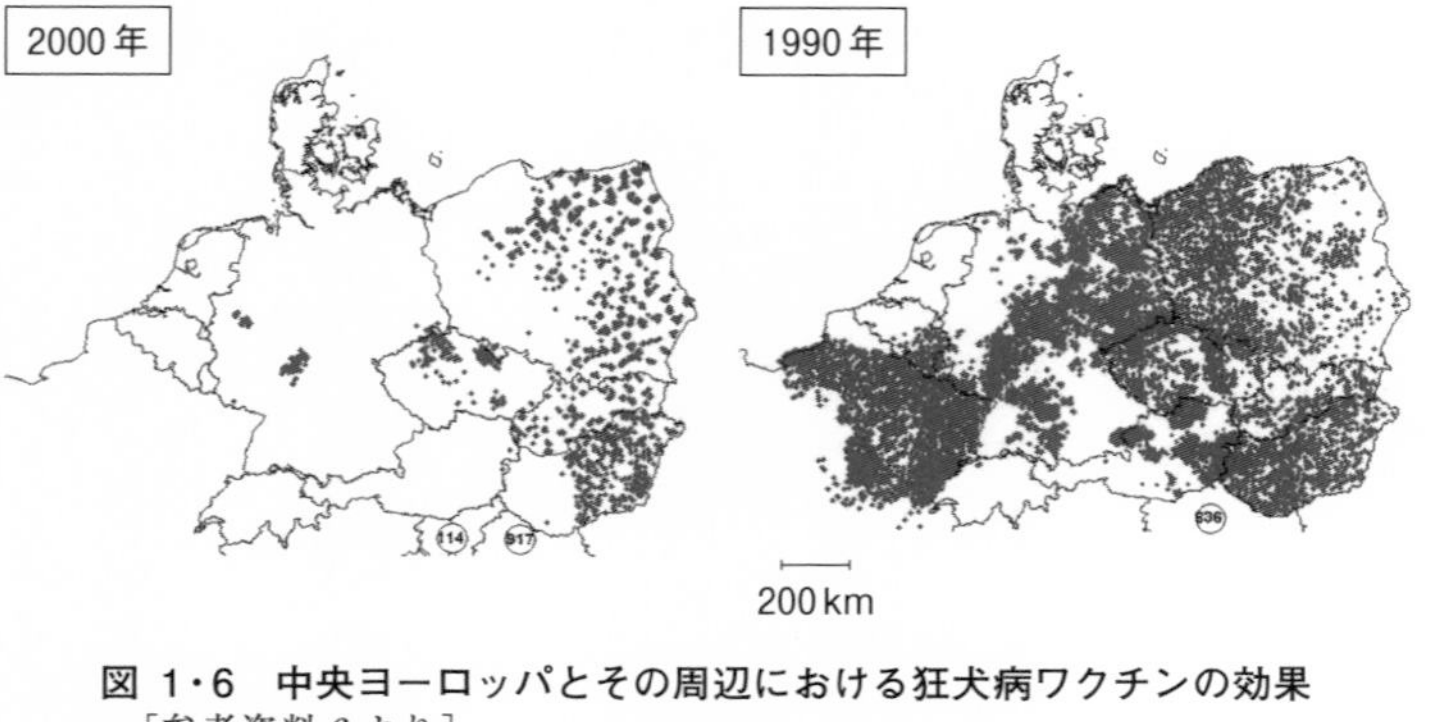

図 1・6　中央ヨーロッパとその周辺における狂犬病ワクチンの効果
［参考資料6より］

ゲノムに狂犬病ウイルスの糖タンパク質遺伝子を挿入したウイルスベクターワクチンが採用されました。このワクチンは図1・6に示すように大きな効果を示しました。

7　エイズ　ワクチンをつくりにくいウイルス

ここで、ワクチンをつくりにくい例も紹介しておきます。それがエイズです。エイズとは、後天性免疫不全症候群（AIDS、acquired immune deficiency syndrome）という病名の略称です。くだいていうと、「生まれつきではなく、後天的に、免疫機能が不十分になって、いろいろな症状を示す病気」といった意味です。

症状としては、まず原因不明の発熱が一、二カ月間続き、疲労感や節々の筋肉の痛みを訴え、寝汗、下痢を伴い、食欲がなくなって、痩せてきます。空咳や脱毛も伴います。全身の大小のリンパ節の腫れも伴います。特徴的なのは、日和見感染のために口の中やのどにチーズのようなカビがぎっしり生えたり、ニューモシスチス カリニ肺炎になったりします。これらの病気や症状は免疫の著しい機能低下の結果生じたものです。

エイズの原因はRNAウイルスであるヒト免疫不全ウイルス（HIV、human immunodeficiency virus）によることが後に明らかにされました。HIVはレトロウイルスのなかまで、免疫で中枢的役割を担う細胞（CD4陽性T細胞）を破壊するために、免疫不全を招くのです。

この「奇妙な病気」の兆しが最初に現れたのは、米国の東海岸と西海岸を代表する大都市、ニューヨークとサンフランシスコであり、それは一九七九年から一九八〇年にかけてのことでした。奇妙な病気とは、いずれも男性の同性愛者にみられたことからでした。感染はおもに性交渉を介して行われます。

当然ワクチン開発が期待されましたが、それから四〇年以上も経た今日でもワクチンは開発されていません。その最大の理由は、HIVが「レトロウイルス」だからです。レトロウイルスはゲノムであるRNAと共に「逆転写酵素」という特別な酵素をもちます。普通は、DNAから転写によりRNAがつくられ（図2・5a参照）、RNAからDNAはつくられませんが、逆転写酵素があればRNAからDNAがつくられます。つまり、HIVが細胞に感染すると、本来なら不可能なRNAからDNAへの変換が起こり、このDNAはさらに宿主のゲノムであるDNAに組込まれます。そして、すきをみてこのHIVの遺伝子からHIVがつくられるのです。免疫は、組込まれたHIV DNAを排除できません。このような、HIVの巧みな戦術により、宿主の免疫システムから逃れるのです。

実は筆者も一九八〇年ころより、ワクチニアウイルスを用いたウイルスベクターワクチンの技術を応用してHIVワクチンの開発に挑戦した一人でしたが、目的は達成できませんでした。

ＨＩＶは、その後開発された抗ウイルス薬および診断薬により感染拡大は防止されましたが、現在に至るまで、人類の間で存在し続けています。ちなみに、国連合同エイズ計画（ＵＮＡＩＤＳ）の情報によれば、二〇一九年の世界におけるＨＩＶ感染者は三八〇〇万人、抗ＨＩＶの治療を受けている人は二五四〇万人です。一七〇万人が新たにＨＩＶに感染し、そのうち六九万人がエイズに関連する疾病により死亡しています。なお、エイズについては拙書[7]を参照していただければ幸いです。

8　一つの結論

これまでに、感染症パンデミックと人類の闘いをみてきました。エイズのような例外もありますが、ヒトでも家畜や動物でも、ワクチン接種により集団免疫を強化することが、感染症パンデミックの抑制に有効であると結論できるでしょう。この結論は、将来も変わりはなく、新型コロナウイルス感染症で開発に成功した遺伝子ワクチンが将来の有力な武器になるものと期待されます。

第2章　新型コロナ遺伝子ワクチンの全貌

先進国を中心に新型コロナウイルスのワクチン接種が開始されています。英国では二〇二〇年一二月八日に開始されました。わが国でも、二〇二一年二月一七日より医療関係者から開始されました。接種されたのはファイザー社のメッセンジャーRNA（mRNA）ワクチンです。先行しているのは、mRNAワクチンやウイルスベクター（VV）ワクチンといった「遺伝子ワクチン」とよばれるワクチンです。これから、このような遺伝子ワクチンと従来のワクチンはどこが違うのか、その特徴を紹介しますが、その前に、そもそも「免疫ができる」とはどういうことか、簡単に説明しておきます。もう少し詳しい免疫の説明は第3章で扱います。

1　免疫ができるとは

ヒトがウイルスや細菌などの病原体に出会うと一連の防御システムが働きます。その中で最も顕著な働きをするのが、免疫システムです。「免疫」とは疫（病）から免れるという意味です。免疫は**自然免疫**と**獲得免疫**に分かれます。自然免疫とは病原体に出会う前から自然に備わっているシステムで、病原体が侵入してきたらすかさず病原体を攻撃・除去します。一方、獲得免疫は病原体に出会ってから攻撃の準備を始めるシステムで、B細胞とT細胞という二種類のリンパ球および抗原提示細胞が登場します。これらの細胞は協同して、ウイルスや細菌の表面に存在する異物としての標識である**抗原**を、特異的に、個別に認識します。Ｂ細胞は**抗体**をつくり、抗体は病原体に結合してそれを失活させます（**中和**とよばれます）し、Ｔ細胞はウイルスを失活させるタンパク質を放出したり、あるいは感染細胞を破壊したりすることで病原体を攻撃・排除します（**細胞性免疫**とよばれます）。細胞性免疫は働くまでに時間がかかりますが強力です。

さらに重要なことは、この認識した抗原を**記憶**していて、二度目に同じ抗原をもったウイルスや細菌などに出会うと効率よく攻撃・排除できることです。このような過程を「免疫ができる」とよびます（図２・１）。ワクチンも同様の仕組みで免疫を獲得しているのです。

２　これまでのワクチン

まず、これまでのワクチンの歴史とワクチンの種類（図２・２）について、簡単に振り返ってみたいと思います。

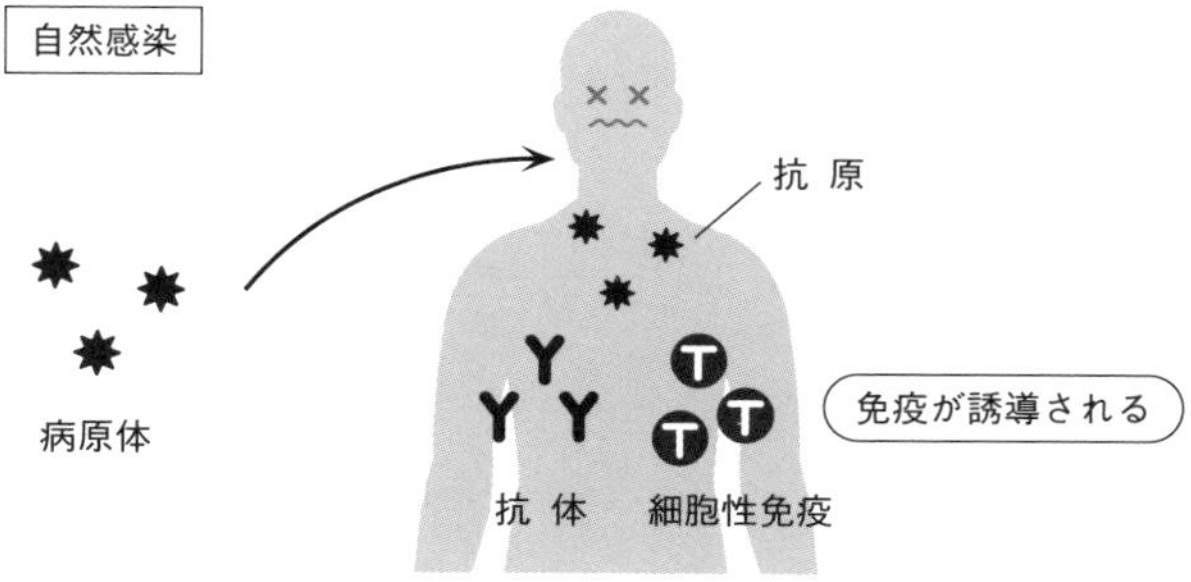

図 2・1　免疫ができるとは

世界にワクチンが最初に登場したのは、天然痘の予防のために英国のエドワード・ジェンナーにより一七九八年に発明された天然痘ワクチンです。

生ワクチン

第1章でも述べましたが、当時、牛痘に接する機会の多かった乳搾りの女性は天然痘にかかりにくいということにヒントを得て、彼は、牛痘の水疱《すいほう》を少年に接種しました。接種後、少年は天然痘を接種されても発病しませんでした。一種の人体実験であり、今日では問題になったでしょうが、こ

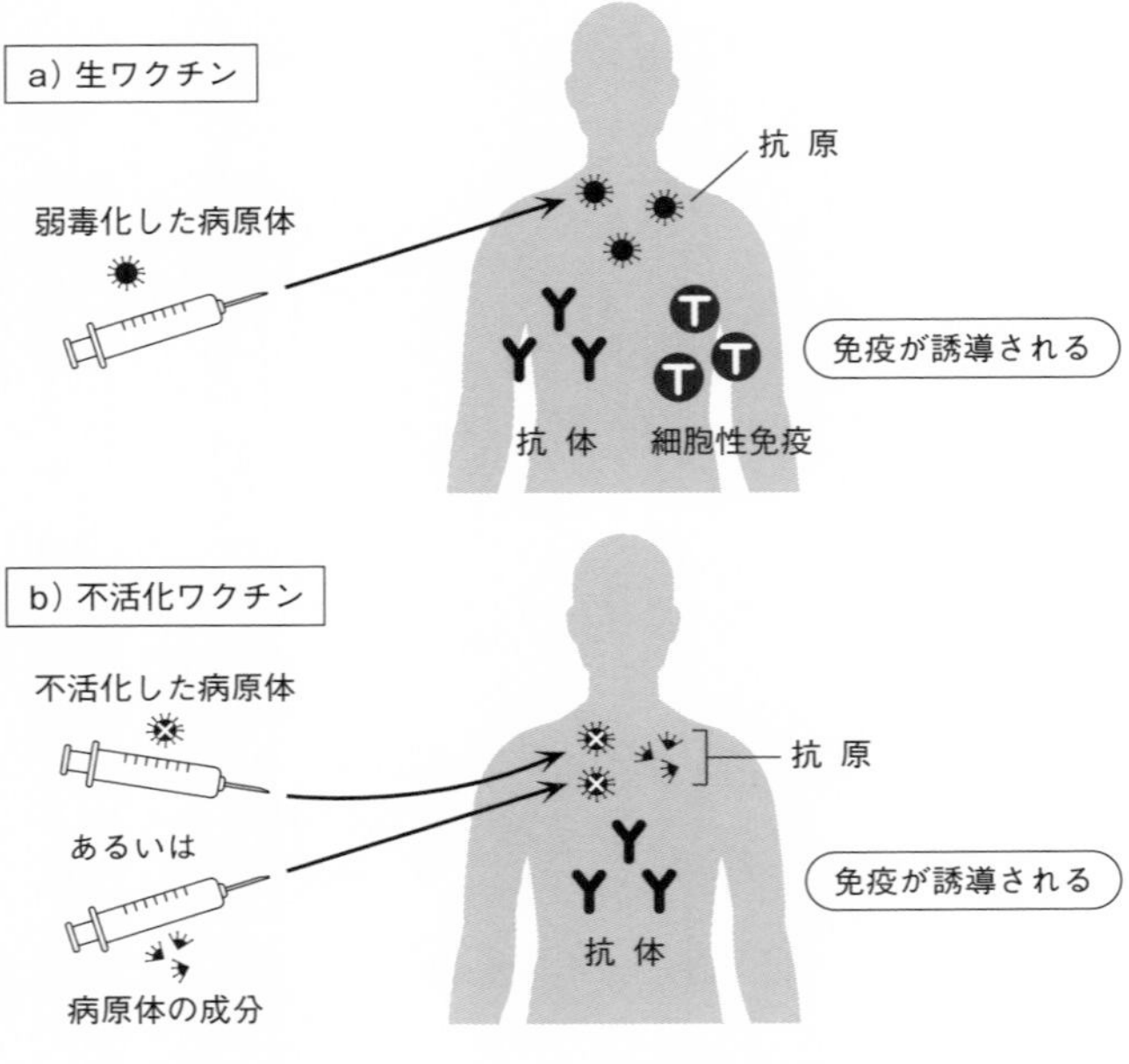

図 2・2 生ワクチン（a）と不活化ワクチン（b）

の実験により、何千万、何億人もの人々の命が救われました。この研究は、『ワクチン接種の起源』（"The Origin of the Vaccine Inoculation"）という論文に記載されています（図2・3）。この論文の末尾は次の文で締めくくられています。

「この利益にあずかった人々の数は欧州および地球のほかの地域を通じて数えきれない。今や、人類にとって最も恐ろしい災禍である天然痘の撲滅はこの措置（筆者注：ワクチン接種）のもたらす最終結果であるはずであり、このことは議論の余地がない。」

ジェンナーのこの予言は、WHOによる天然痘根絶計画の終了宣言により、ほぼ一八〇年後に実を結んだのです。

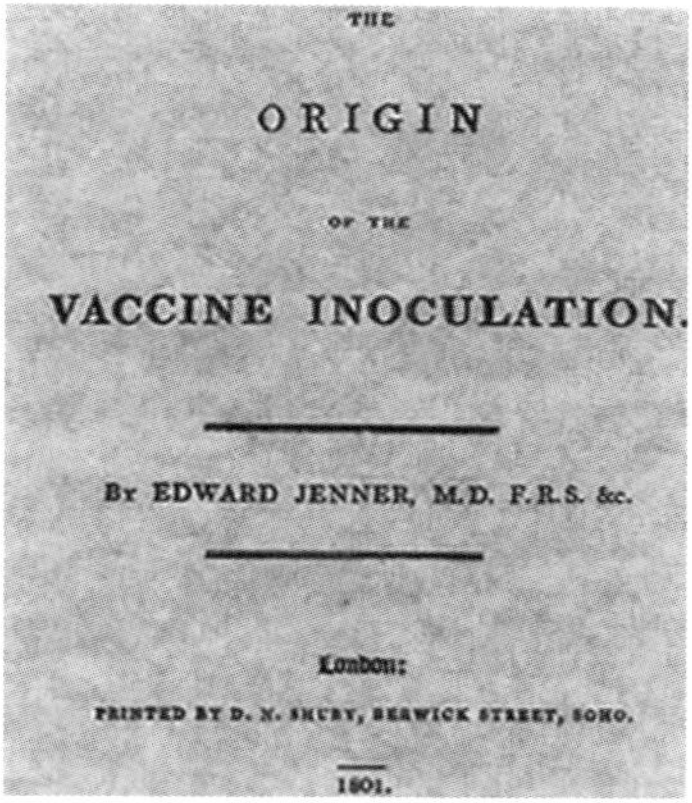
THE
ORIGIN
OF THE
VACCINE INOCULATION.
By EDWARD JENNER, M.D. F.R.S. &c.
London:
PRINTED BY D. N. SHURY, BERWICK STREET, SOHO.
1801.

図 2・3　ジェンナーの生ワクチンの発明に関する 1801 年の論文

牛痘に含まれていたのは、今日では天然痘ウイルスと同じオルトポックスウイルスに属するワクチニアウイルスであることがわかっています。ワクチニアウイルスは天然痘ウイルスと近縁関係にあり、病原性はきわめて低いので病気は起こしませんが、抗原性は高く、天然痘ウイルスに対する強い免疫を誘導したのです。ジェンナーのワクチンは、WHO主導による世界からの天然痘根絶

（一九七七年に達成、一九八〇年に宣言）で中心的な貢献を果たし、天然痘のパンデミックを終焉させました。このタイプのワクチンは、弱毒ではあっても生きたウイルスをワクチンに使用するので、**生ワクチン**とよばれます。

生ワクチンは、その後、ウイルス性および細菌性のワクチンとして使用されました。結核の予防のためのBCGワクチンも生ワクチンで、このワクチンを開発した研究者の名前を冠した菌である*Bacille de Calmette et Guérin*の頭文字をとったものです。この菌は、本来ウシに感染するウシ型結核菌を、長期間かけて弱毒化したものです。生ワクチンで有名なものにはポリオワクチンもあります。ポリオ（小児麻痺《まひ》）とは、ポリオウイルスによって発症する感染症です。感染した小児の一部（一％以下）に左右非対称性の下肢を中心とした弛緩性麻痺を起こし恐れられました。ロシア出身のアルバート・セービンが、米国で培養細胞にポリオウイルスを植え継ぐことで、ポリオウイルスの弱毒株を作製し、これは経口生ワクチンとして使用されました（セービンワクチン）。

生ワクチンの利点は、接種した病原体が生体内で増殖し、非常に強い免疫を誘導し、効果が強いことです。また、弱毒化した病原体を増やすことでつくるので、製造も比較的容易です。一方、欠点は、時に強い副反応を伴うことです。天然痘ワクチンでは、種痘後脳炎が大きな問題になり、なるべく安全なワクチンが求められました。日本でのポリオワクチンは最終的にはより安全な不活化ワクチンに切り替えられました。

不活化ワクチン

生ワクチンの欠点を補うために開発されたのが**不活化ワクチン**です。米国のジョナス・ソークはホルマリンで不活化したポリオウイルスをワクチンの材料に用いました（ソークワクチン）。不活化ワクチンは一般に免疫効果が低いために、それを増強させる工夫がなされています。工夫の一つは、**アジュバント**を使用してワクチン効果を高めることです。その中で最も広く使われているのはアルミニウム塩です。アルミニウム塩は単に抗原を接種局所に長くとどめるだけでなく、自然免疫を活性化させます。自然免疫が高められると、つづいて獲得免疫も活性化されます。

成分ワクチン

このワクチンは、コンポーネントワクチンあるいはサブユニットワクチンともよばれ、広い意味で、不活化ワクチンに含まれます。精製した病原体の特定の成分が用いられ、インフルエンザワクチンがその例です。

3　新型コロナ遺伝子ワクチン

今回の新型コロナのパンデミックでは**遺伝子ワクチン**とよばれる新しいワクチンが登場しました。従来のワクチンでは、免疫を誘導するために、上述したように、弱毒化した病原体、不活化した病原体、あるいは病原体の抗原を体内に注入しました。遺伝子ワクチンではこのような物質を使わずに、病原体に関連したタンパク質をコードする遺伝子（ＲＮＡあるいはＤＮＡ）を体内に注入し、体内で抗原タンパク質をつくらせて免疫を誘導します。

新型コロナウイルスの構造

ワクチンの要《かなめ》になるのは、感染防御のカギとなる抗原です。ウイルスはタンパク質、脂質、糖、核酸など多くの物質で構成されており、いずれもが免疫を誘導する抗原になりえますが、その中でも、感染防御で中心的な役割を果たすものを、**感染防御抗原**とよび、タンパク質が主成分です。

図２・４ａは新型コロナウイルスの電子顕微鏡写真で、ニュースなどに頻繁に登場していますので、なじみの深い読者も多いでしょう。図２・４ｂはこれを模式化した図です。コロナウイルスは、直径約一〇〇ナノメートルの球形で、表面には突起がみられます。形態が王冠 crown に似ていることからギリシャ語で王冠を意味する corona という名前がつけられました。脂質二重膜のエンベロープで囲まれた中には、丸い顆粒で示されるヌクレオカプシドタンパク質が存在します。これに巻付いたひも状に示されたのはウイルスの遺伝子にあたるゲノムで、プラス鎖の一本鎖ＲＮＡです。エンベロープ表面にはスパイクタンパク質、エンベロープタンパク質、膜タンパク質が配置されています。この中で、突起をもって膜に刺さっているスパイクタンパク質が、感染防御抗原に

表 2・1　わが国で用いられる予定の新型コロナ遺伝子ワクチン[†1]

開発企業・アカデミア	米ファイザー/独ビオンテック	米モデルナ	英アストラゼネカ/英オックスフォード大学[†2]	
ワクチン名	BNT162b2	mRNA-1273	ChAdOx1	
種　類	mRNA	mRNA	ウイルスベクター	
保管温度	−70±10℃	−20±5℃	2〜8℃	
接種回数	2回	2回	2回	
対象年齢	16歳以上	18歳以上	18歳以上	
臨床試験結果			**結果1**	**結果2**
接種群の発症者数の割合（%）	0.04 %	0.08 %	0.2 %	0.6 %
$\frac{\text{発症者数}}{\text{接種者数}}$	$\frac{8}{18{,}198}$	$\frac{11}{14{,}134}$	$\frac{3}{1{,}367}$	$\frac{27}{4{,}440}$
非接種群の発症者数の割合（%）	0.87 %	1.31 %	2.2 %	1.6 %
$\frac{\text{発症者数}}{\text{偽薬接種者数}}$	$\frac{162}{18{,}325}$	$\frac{185}{14{,}073}$	$\frac{30}{1{,}374}$	$\frac{71}{4{,}455}$
臨床試験における**有効率**	95.0 %	94.1 %	90.0 %	62.1 %
副反応	局所の疼痛，倦怠感，頭痛，筋肉痛，悪寒，関節痛，発熱			
	アナフィラキシー		血栓症	

†1 参考資料1をもとに2021年2月作成（ただし副反応の血栓症を4月に追加）．短期的な保管温度や一回接種有効率などその後アップデートされたり新しい情報が付加されたりしていることを言い添えておく．

†2 アストラゼネカ社のワクチンは，英国だけで実施した1回目低用量・2回目標準用量の接種様式での臨床試験（結果1）と，英国とブラジルで実施した2回目とも標準用量の接種様式での臨床試験（結果2）を行った．二つあわせての有効率は70.4 %となっている．

有効率の求め方

$$\text{有効率（\%）} = \left(1 - \frac{\text{接種者で\textbf{発症}した人の割合}}{\text{非接種者で\textbf{発症}した人の割合}}\right) \times 100$$

で、有効率は九五％になります。すなわち「接種しない人と比べると」接種した人の発症率は九五％低いということを意味します。

（1）mRNAワクチンの仕組み　われわれの体の遺伝子（ゲノム）は、DNAという核酸の塩基配列に収められています。DNAの情報が「転写」により伝達されるのがmRNAです。mRNAの情報は、次に体の構造タンパク質や代謝を担う酵素タンパク質に「翻訳」することで伝達されます。すなわち、mRNAはDNAからタンパク質へのメッセージを運ぶ仲介役をしています（図2・5a）。

まず、ワクチンのmRNAの分子構造から説明します（図2・5b）。5′末端にキャップがあります。つづいて5′UTR、ORF、3′UTRそして、尻尾のようなポリ（A）が3′末端にあります。UTRは翻訳されない領域で、mRNAを安定化させる配列が含まれています。キャップ

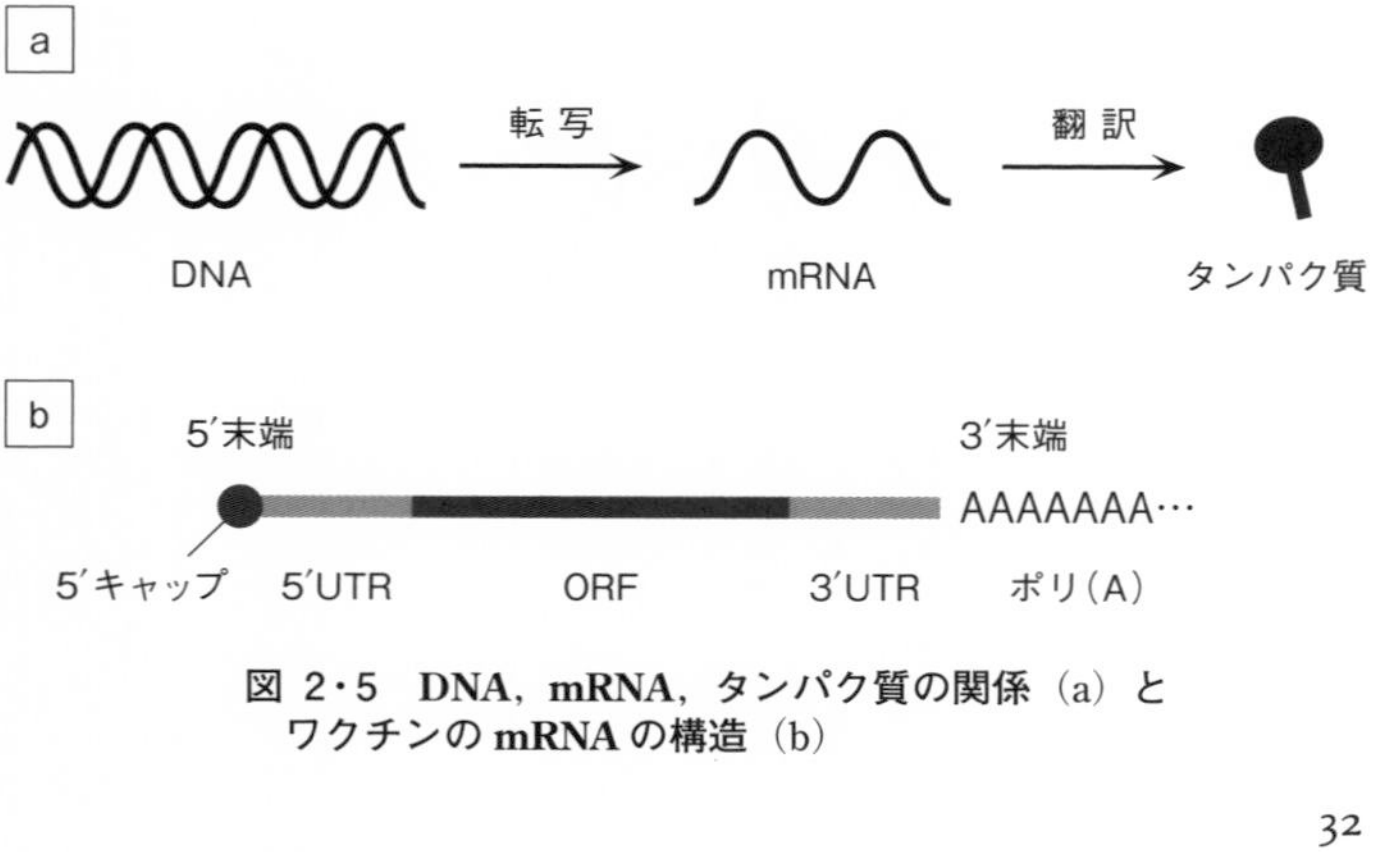

図 2・5　**DNA，mRNA，**タンパク質の関係（a）とワクチンの **mRNA** の構造（b）

とポリ（A）はｍＲＮＡの保護や翻訳などで役割を果たしています。新型コロナウイルスのｍＲＮＡワクチンでは、スパイクタンパク質の遺伝子配列はＯＲＦに含まれます。これらの情報は、キャップ構造の発見者である古市泰宏博士の総説(2)が参考になります。

図２・６上に示すのはｍＲＮＡワクチンの作製の過程ですが、スパイクタンパク質のｍＲＮＡは脂質膜でコーティングされ、脂質粒子の形で生体に投与されます。生体の中でｍＲＮＡから目的のスパイクタンパク質がつくられて、免疫が誘導されます（図２・６下）。このワクチン

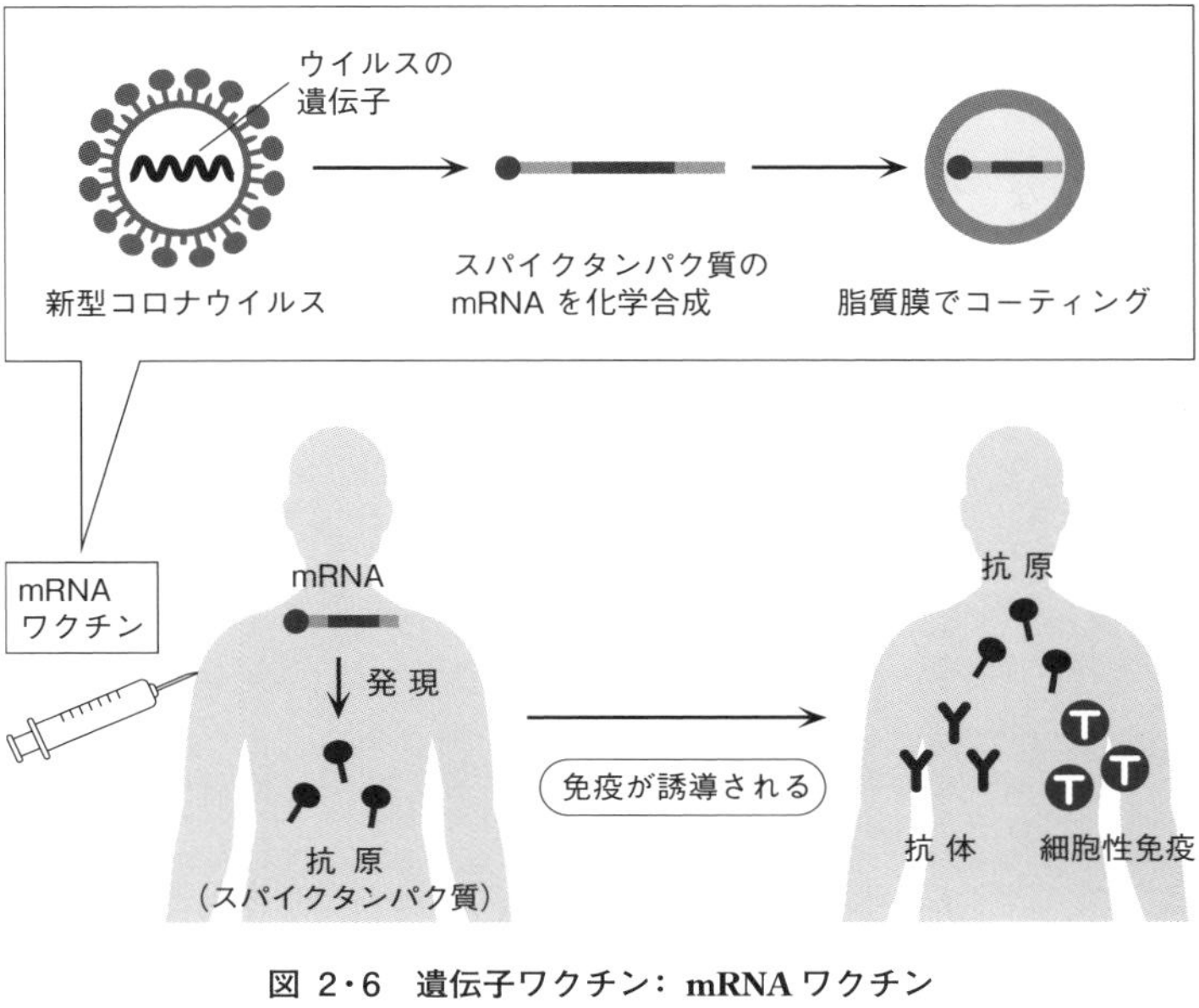

図 2･6　遺伝子ワクチン：mRNA ワクチン

では、脂質粒子が技術の目玉になっています。いずれのmRNAワクチンも二回接種が必要です。

(2) 先行した基盤研究

これまでのワクチンは、ウイルスそのものを使うか、あるいはその構成タンパク質を材料に用いていました。しかし、mRNAワクチンでは、上述したように、仲介役であるmRNAそのものをワクチンに用いています。mRNAワクチンは、新型コロナのパンデミックで初めて実用化した新規ワクチンで、その歴史は一年に満たないのです。ただし、それに先行する基礎研究がありました。

mRNAを直接体内に投与して医薬として使用するアイディアとして、遺伝子発現用環状DNA（プラスミドDNA）を直接筋肉注射してmRNAを発現させた一九九〇年のサイエンス誌の有名な論文があります[3]。その後、mRNAに対する基礎研究が積み重ねられ、抗がん剤などのmRNA医薬が開発されていました。mRNAは不安定であるために、それを適切な組織・細胞に送り届けるための薬物送達システム（DDS、drug delivery system）も必要でした。DDSには、ポリエチレングリコールや生体適合性ポリマーとmRNAで構築したナノ粒子を用いる方法などがあります[4]。これにより、mRNAは安定化し、生体の適当な組織・細胞に送達が可能になるのです。mRNAワクチンはこのような技術基盤の延長上に開発されたのです。ファイザー社とモデルナ社のmRNAワクチンはいずれも脂質膜のナノ粒子に封入されている点は共通ですが、その組成など微妙に異なると思われます。

(3) 有効性と安全性　ファイザー社は二〇二〇年一一月二〇日に、米国食品医薬品局（FDA）に新型コロナに対するmRNAワクチン候補の緊急使用許可の申請を行いました。モデルナ社はやはり同様のmRNAワクチン候補の緊急使用許可の申請を二〇二〇年一一月三〇日に行いました。その後、両社のワクチンは共に認可され、ファイザー社のmRNAワクチンは、英国や米国などで一般市民に対する接種が実施されています。ファイザー社のワクチンの有効率は九五％であり、一方、モデルナ社のワクチンの有効率は九四・一％で、いずれも従来のワクチンにない高い効果を示しました（表2・1）。

三万人が参加したモデルナ社のワクチンの臨床試験について具体的な数値で説明します。参加者の半数にワクチンが二回、残りの半数には偽薬が二回接種されました。治験者の中で、新型コロナの症状が出た一九六人について分析したところ、ワクチンを接種していたのは一一人だけで、残りは偽薬を接種したグループから出ました。その中で重症を示した人は三〇人でしたが、ワクチンの接種を受けた人の中からは一人も出ませんでした。ワクチンには非常に高い効果があることがこれらの数値からわかります。ワクチンの有効率は九四・一％という高いものでした。

モデルナ社のワクチンはファイザー社のワクチンに比べて保存が比較的簡単なようで、マイナス二〇℃で六カ月間まで安定した状態を保てます。一方、ファイザー社のワクチンは、マイナス七五℃近い超低温での保存が必要ですが、マイナス二五℃からマイナス一五℃で一四日は保存できるとのことです。このような違いは、mRNAを収納する脂質粒子の違いにあると思われます。

安全性については、発熱や倦怠《けんたい》感が報告されていますが、いずれも多くのワクチンに伴う副反応です。まれにアナフィラキシーが報告されており、mRNAワクチンの脂質膜の成分ポリエチレングリコールが原因物質ではないかと考えられています。アナフィラキシーは、食物、各種の化学物質、ハチの毒素などの一般にアレルゲンといわれる物質によりひき起こされる急性の症状で、時に呼吸困難やじんま疹、時に急激な血圧低下などを招くことがあります。場合によると死を招くおそれがありますので、適切な対応措置が必要です。

mRNA自体は分解されやすく、ヒトのDNAに組込まれたりする危険性もなく、副反応の原因になる危険性はきわめて低いと思われます。ただし、mRNAワクチンは初めてヒトに接種されるワクチンであり、長期的な観察が必要でしょう。

現在国内で接種が開始されているファイザー社のワクチンを含め、今後わが国で用いられる新型コロナワクチンの有効性・安全性に関する情報は厚生労働省のホームページ(5)に記載されます。

ウイルスベクター（VV）ワクチン

現在開発が進められている新型コロナウイルスの遺伝子ワクチンには、これまでに説明したmRNAワクチンと共に、ウイルスベクター（VV）ワクチンがあります。実は、筆者はワクチニアウイルスをベクターとしたVVワクチンの開発に一九八〇年ころより長いこと関わっていた経験があり、VVワクチンには深い思い入れがあると共に、このワクチンの原理が、新型コロナウイルスワクチンでヒトに応用されているのには一種の感慨を覚えます。ここでは、筆者の経験などもふまえながら、新型コロナウイルスワクチンを中心にVVワクチンの紹介をしたいと思います。

(1)ワクチニアウイルスを用いたVVワクチン

一九八二年に米国のD・パニカリとE・パオレッティおよびM・マッケットらのグループが、それぞれ独立に、ワクチニアウイルスをベクターに用いた「組換えウイルス」を発表しました。この組換えウイルスは、今日でいう、VVワクチンと原理が同じです（図2・7参照）。すなわち、ワクチニアウイルスを一種の遺伝子の運び屋（ベクター）として使い、このベクターに抗原遺伝子を挿入して組換えウイルスを作製するのです。筆者は、当時米国ハーバード大学医学部微生物学・分子遺伝学教室（バーナード・フィールド教授）で、国立予防衛生研究所（現国立感染症研究所）からの出向研究員としてウイルス学の研究に従事しておりました。この組換えウイルスについてフィールド教授から聞き、国立予防衛生研究所に戻ったら、この組換えウイルスを使ってワクチンをつくるプロジェクトを立ち上げる決心をしました。(6)

日本にはウイルスベクターに使用可能な、ワクチニアウイルス株の中では最も安全なウイルス株が存在していました。それは、千葉県血清研究所（当時）の橋爪 壮博士が開発した弱毒天然痘ワクチン LC16m8 株および LC16mO 株でした。LC16m8 株は厚生省（当時）からワクチン株と認可されました。しかし、WHOによる天然痘根絶計画が成功し、LC16m8 株は実際にヒトに接種する機会を失いました。その後、この株はわが国のバイオテロに備えた備蓄ワクチンとして活用されています。

日本でもともと天然痘ワクチンとして使用されていたのは、Lister 株のワクチニアウイルスで、天然痘根絶計画でも、ウシに Lister 株を接種して牛痘に感染させ、それによってできた膿疱から増殖したウイルスを取出し、ワクチンの材料として用いていました。この方法で得られたワクチンには雑菌の混入があったり、副反応が出たりする欠点がありました。そこで、橋爪博士は世界で初めての、細胞培養による天然痘ワクチンの改良を行いました。出発材料に用いた Lister の親株であるLO株をウサギ初代腎臓細胞で継代培養することで、四〇・八℃以上で増殖できない温度感受性株を選択し、増殖性が比較的弱くて安全なLC16mO 株およびLC16m8 株を選択したのです。その中でもLC16m8 株は細胞での増殖性と神経病原性が低く、ワクチン候補になったのです。余談になりますが、筆者らは、どのような遺伝子が低い病原性に関与しているのか調べました。その当時、ワクチニアウイルスのゲノム配列が決定されており、*B5R* という遺伝子がワクチニアウイルスの神経病原性に関与していることを明らかにしました。LC16m8 株のウイルスでは、この遺伝子が変異していることがわかりました。

筆者は、橋爪博士と共同研究をスタートさせ、LC16m8 株をベクターとしたＶＶワクチンの開発プロジェクトを国立予防衛生研究所で立ち上げました。LC16m8 株は、実際にＶＶワクチンにしてみると増殖性が極端に悪く、やや増殖性のよい弱毒株 LC16mO 株をベクターに用いることにしました。ＶＶワクチンの模式図を図２・７に示します。

この図では、ＨＩＶワクチンの例が示されており、ＨＩＶの外被タンパク質遺伝子が挿入されていて、この組換えウイルスを接種すると細胞の中でＨＩＶの外被タンパク質が発現し、それに対する免疫が成立します。第1章で述べた狂犬病ワクチンでは、別のワクチニアウイルスに狂犬病ウイルスの糖タンパク質遺伝子を挿入したＶＶワクチンが作製されました。野生のキツネが餌と共にこのワクチンを摂取すると、キツネに狂犬病ウイルスに対する免疫が成立しました。

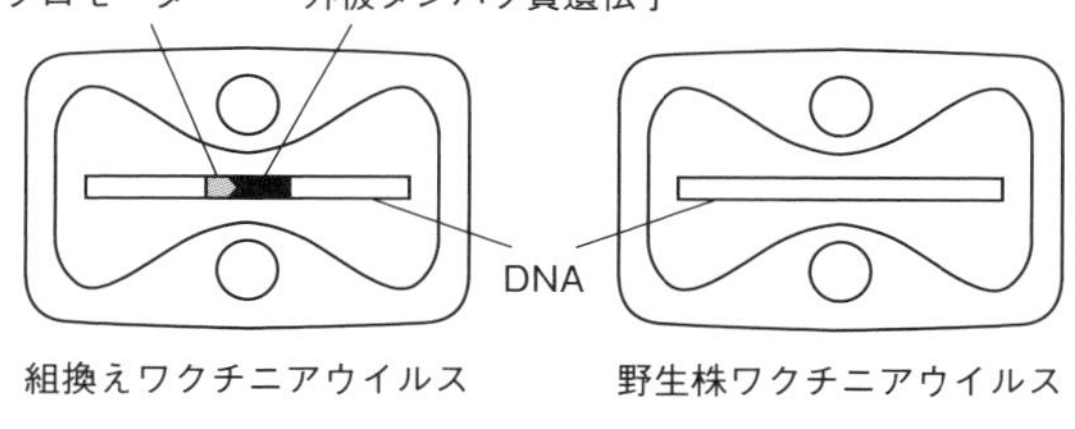

図 2・7　ワクチニアウイルスをベクターに用いた VV ワクチンの模式図

(2)アデノウイルスを用いた新型コロナウイルスのVVワクチン

この組換えウイルスによるVVワクチンの原理は、現在実際に接種が行われている新型コロナのVVワクチンにもあてはまります。ウイルスベクターとしては、ワクチニアウイルスをアデノウイルスに置き換え、挿入する目的の遺伝子を新型コロナウイルスのスパイクタンパク質をコードするDNA断片に置き換えればよいのです。そのようにして作製されたVVワクチンの模式図を図2・8に示します。ここでウイルスベクターとして使用されているアデノウイルスについて説明しましょう。

アデノウイルスは、直径約八〇ナノメートルの正二十面体の安定なカプシドの中に二本鎖DNAゲノムをもちます。ヒトアデノウイルスは小児の風邪をひき起こすウイルスの一種で、五〇種類以上の血清タイプが存在します。このウイルスでひき起こされる主要な疾患は、急性呼吸器感染症です。

VVワクチンでは接種後、生体内でアデノウイルスベクターが増殖しないように注意が払われています。アストラゼネカ社のワクチンでは、ベクターに使用されるアデノウイルスが非増殖性になるような工夫がなされています。具体的には、ウイルスゲノムの複製に必要な遺伝子に外来遺伝子である新型コロナウイルスのスパイクタンパク質遺伝子を挿入して、結果としてこの遺伝子を破壊し、増殖できなくしています。また、アデノウイルスは宿主のゲノムDNAに組込まれてしまう危険性もありません。

ＶＶワクチンは基本的には生ウイルスワクチンということができます。このワクチンは細胞に侵入して抗原タンパク質を発現し、それに対する免疫を誘導します。現在、英国のアストラゼネカ社がこの種のワクチン開発を行い、英国などで接種が開始されています。有効率は七〇％程度（表２・１）で、ｍＲＮＡワクチンより低めの値を示していますが、一度目と二度目の接種量を変えることで、九〇％ほどの有効率を示しており、ワクチンの接種方法などは検討中と思われます。特筆すべきことは、ジョンソン＆ジョンソン社のＶＶワクチン（表２・２）は、一

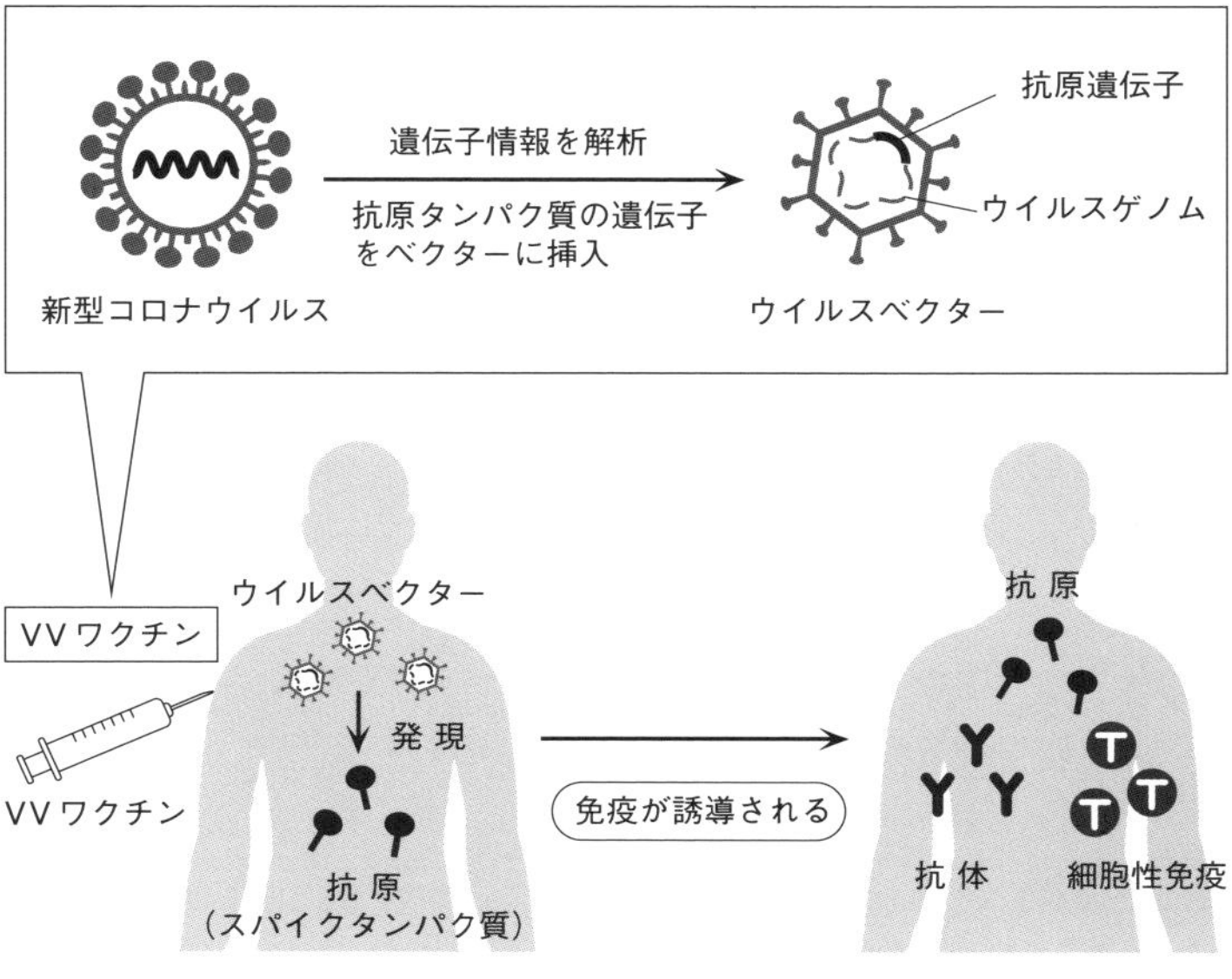

図 2・8　遺伝子ワクチン：ウイルスベクター（VV）ワクチン

回接種で間に合うことが報告されたことです。

なお、ロシアのスプートニクV（表2・2）もVVワクチンに属し、すでに臨床試験を終えて、二〇二〇年一二月よりモスクワでは市民への大規模接種が開始されました。臨床試験が終了していない段階でロシアでの使用が承認されたため、一部でこの決定は疑問視されました。ただし、最近スプートニクVは大規模な臨床試験の結果が権威ある医学誌ランセットに掲載され、評価されています。

遺伝子ワクチンの開発メーカー

新型コロナのパンデミックでは世界中で多数のワクチン開発が進められその競

表 2・2　開発が先行しているウイルスベクターワクチン[†1]

開発企業・アカデミア	露ガマレヤ記念国立疫学・微生物学研究センター	米ジョンソン & ジョンソン/蘭ヤンセン
ワクチン名	スプートニク V	Ad26.COV2.S
種　類	ウイルスベクター	ウイルスベクター
保管温度	−18℃/2〜8℃	2〜8℃
接種回数	2回	1回
対象年齢	18歳以上	18歳以上
臨床試験における有効率(発症)	91.6 %	66.9 %
臨床試験における有効率(重症)	100 %	85.4 %
副反応	軽微，アナフィラキシーの報告なし	軽微，アナフィラキシーの報告なし（血栓症）[†2]

†1 参考資料 7 をもとに 2021 年 4 月作成．アストラゼネカ社のものは表 2・1 に掲載．

†2 ジョンソン & ジョンソン社のものには有害事象として血栓症の報告あり (2021 年 4 月)．

争は熾烈なものがあります。二〇二一年三月二日付のＷＨＯの報告によると、世界各国において、臨床試験実施中のワクチンが七六種類、前臨床段階にあるワクチンが一八二種類も存在するとのことです。この中で、開発が先行し接種が実施されているワクチン、接種が間近なワクチンを表２・３にまとめました。

ｍＲＮＡワクチンとＶＶワクチンの比較

ｍＲＮＡワクチン（ファイザー社、モデルナ社）の長所としては高いワクチン有効率（九五％前後）があります。これらは当初想定されていたよりはるかに高い有効率でした。ＶＶワクチン（アストラゼネカ社）の有効率は、七〇・四％とｍＲＮＡワ

表 2・3　新型コロナワクチンの開発種類とメーカー†

種　類	開発企業・アカデミア
mRNA	・米ファイザー/独ビオンテック ・米モデルナ ・仏サノフィ/米トランスレート・バイオ ・日本 第一三共/東京大学医科学研究所
ウイルスベクター	・英アストラゼネカ/英オックスフォード大学 ・米ジョンソン＆ジョンソン/蘭ヤンセン ・中国 カンシノ・バイオロジクス/軍事医学研究院 ・露ガマレヤ記念国立疫学・微生物学研究センター ・日本 ID ファーマ/感染症研究所
DNA	・日本 アンジェス/大阪大学/タカラバイオ
組換えタンパク質	・仏サノフィ ・米ノババックス ・日本 塩野義製薬/感染症研究所/UMN ファーマ
不活化	・中国 シノバック ・中国 シノファーム

† 2021年2月作成．先行しているものに加え，日本で開発されているものを掲載．

クチンに比べて低い傾向を示していますが、米国FDAが新型コロナワクチンを承認する条件として有効率五〇％以上、最低でも三〇％以上と掲げていたことを考慮すると十分な値です。

新型コロナワクチンの効果については、発症予防に焦点が絞られてきました。それは、この指標が臨床試験で重要なこともありますが、評価しやすいこともその理由です。最近、感染予防効果や予防効果の持続についての結果も報告されるようになりましたので触れておきます。

米国立疾病予防管理センター（CDC）からは、mRNAワクチンの二回接種から二週間後の感染予防の有効性が九〇％だったとの報告がありました(8)。三九五〇人の医療従事者、救急隊員などに対して、一三週間連続で毎週、新型コロナウイルスのPCR検査を実施しての分析結果です。このことは、ワクチン接種者が感染しにくくなるのであれば、結果としてまわりの人にも感染を広めにくくなることを示します。

また、ファイザー社やモデルナ社からは、ワクチン接種六カ月後も有効率は九〇％以上と、高い発症予防効果が確認されたという報告がありました(9)。mRNAワクチンの効果がどのくらい続くのかはわかっていません。mRNAワクチンはこれまでに使用されたことのないワクチンですので、今後の経過を見守る必要はあるでしょう。

ワクチンが重症化を防ぐことができるのかという点については、ファイザー社の臨床試験では、重症になった人一〇人のうち、九人は対照群でみられ、ワクチン接種群では一人でした。モデルナ社とアストラゼネカ社の臨床試験でも、重症になった人はそれぞれ三〇人と二人で、いずれもすべて対照群でみられました(1)。したがって、ワクチン接種により重症化は抑制されることが示唆されますが、重症者数が限られているため、重症化予防効果の評価は今後の課題と思われます。

副反応に関しては節を改めて後述します。

接種回数については、多くのワクチンは二回接種が必要で、十分に効果が得られるのはその二週間後からですが、ジョンソン&ジョンソン社のVVワクチンは一回接種であり、その二週間後の発症を防ぐ効果は六六%であったと報告されています。一回接種で十分であれば、そのメリットは大変大きいのですが、この点についてはさらなる調査が必要です。

mRNAワクチンの問題点は、たとえばファイザー社のワクチンでは、保管・運搬をマイナス七五℃という超低温冷凍庫で行う必要がある点です。モデルナ社のワクチンはより高い温度でもよいようですが、それでもマイナス二〇℃の低温を要します。これに対して、VVワクチンの保管・運搬温度は二～八℃で十分とのことで、この点はVVワクチンの方が優れています。

ワクチンの価格は公表されていませんが、二〇二一年二月現在で、mRNAワクチンとVVワクチンではかなりの差があります。アストラゼネカ社のVVワクチンは一回あたり約四ドルですが、ファイザー社のmRNAワクチンは約二〇ドル、モデルナ社のmRNAワクチンは約三〇ドルということです。

なお、mRNAワクチンは従来のワクチンの分類に従えば成分ワクチンに近いのです。一般に成分ワクチンは免疫力が弱いのでそれを補うためにアジュバントが使われることが多いですが、ファイザー社やモデルナ社のmRNAワクチンにはアジュバントは使用されていません。その理由には、少なくとも二つの可能性があげられます。一つは、mRNAを封じ込めている脂質粒子がアジュバントの役割を果たしていること、もう一つの理由は、mRNA自体にアジュバント効果のあることです。一方、VVワクチンは一種の生ワクチンであり、アジュバントは必要がなく、高い効果が期待できます。

VVワクチンの問題点として指摘されているのは、ウイルスベクターに対して免疫反応が起こり、そのために二度目以降に同じウイルスベクターを用いたVVワクチンを接種したときに、すみやかに免疫で排除されてしまい、ワクチンの効果が低下する可能性のあることです。同様の理由から、以前ヒトアデノウイルスに感染したことのある人ではそのヒトアデノウイルスに対する抗体が存在するので、ワクチン効果が低い可能性があります。アストラゼネカ社のVVワクチンでは、ベクターにヒトが免疫をもたないチンパンジーのアデノウイルスを用いることで、これらの問題をクリアする工夫がなされています。また、スプートニクVでは、一回目と二回目の接種に異なるアデノウイルスをベクターに用いています。一回目にはアデノウイルス血清型二六（rAd26）を、二回目には血清型五（rAd5）を用います。このことで、一回目に成立したアデノウイルスに対する免疫の影響が二回目の接種に少なくなるように工夫したのです。いずれにしろ、まだ実績が少なく、今後検討されなければならない課題と思われます。

ＶＶワクチンは基本的には生ワクチンなので、従来の生ワクチンにみられたような強い副反応が出る可能性は否定できませんが、これまでの臨床試験では、アストラゼネカ社、ジョンソン＆ジョンソン社、ロシアのスプートニクＶいずれのＶＶワクチンでも、問題となるような副反応に関する報告は、後述する血栓症の事例を除き出ていません。また、使用するウイルスベクターによっては、宿主のゲノムＤＮＡにＶＶワクチンが組込まれて病気の原因になるのではという指摘がありますが、ＶＶワクチンのウイルスベクターには宿主ＤＮＡに組込まれないアデノウイルスが選択されることが多いようなので、その場合、ＶＶワクチンではその可能性は低いと考えられています。

ＶＶワクチンはいわば生きたウイルスであり、培養細胞の中に増殖に必要な遺伝子を発現させれば増やすことができるので、製造が楽ですし、熱に比較的安定です。それに対して、ｍＲＮＡワクチンは、ｍＲＮＡを脂質の膜でコーティングした脂質粒子にする必要があります。この過程はｍＲＮＡワクチンの中心的な技術で、製造が複雑になります。出来上がったワクチン製剤は、熱にも物理的な振動などにも不安定なようで、扱いが難しいようです。先進国では、高価であっても、あるいは超低温で扱う必要があっても、効果が高く、副反応が少なければ使用されるでしょう。しかし、発展途上国ではこれらのことが障害になる可能性があります。

4　報告されている副反応

副反応とは

それでは、新型コロナワクチンの副反応についてみてみましょう。表2・4に、新型コロナ遺伝子ワクチンの臨床試験における一回目接種後の「有害事象」の頻度を示します[1]。

ここでまず、有害事象という耳慣れない言葉と副反応の違いを説明しておきましょう。ワクチン接種後に現れた好ましくない事態をワクチン接種との因果関係を考慮せずにひろいあげたもの、これを**有害事象**とよびます。臨床試験で考えてみましょう。臨床試験については第4章で詳しく述べますが、ワクチン接種群と偽薬接種群に分けてワクチンの安全性と有効性が試験されます。このとき両群について接種後に生じた好ましくない症状をすべて洗い出します。次に、こうしてあげられた有害事象の症状ごとに、ワクチン接種群と偽薬接種群において発生頻度を統計学的に比較することで、その有害事象がワクチンによりひき起こされた可能性が高いか調べられます。ワクチン接種に因果関係がある可能性が高いものを**副反応**とよびます。すなわち、ワクチン接種群でよく現れる症状があるとしても、それを対照群と比較することが大切です。対照群でもよく生じているなら、それは副反応とはいえないのです。

なお、有害事象と副反応の洗い出しは、臨床試験で行われるだけでなく、実際にワクチンが承認され接種が始まったあとも継続して行われ、安全性が監視されます。アストラゼネカ社などのＶＶワクチン接種で報告された血栓症は、こういった監視が有効に働いていることを意味します。

表 2・4　新型コロナ遺伝子ワクチンの臨床試験における１回目接種後の有害事象の頻度†

ワクチン		ファイザー BNT162b2		モデルナ mRNA-1273		アストラゼネカ ChAdOx1		
種　類		mRNA		mRNA		ウイルスベクター		
年齢群（歳）		16～55	56～	18～64	65～	18～55	56～69	70～
局所反応	疼　痛	83％(14％)	71％(9％)	86.9％(19.1％)	74.0％(12.8％)	61.2％	43.3％	20.4％
	発　赤	5％(1％)	5％(1％)	3.0％(0.4％)	2.3％(0.5％)	0％	0％	2.0％
	腫　脹	6％(0％)	7％(1％)	6.7％(0.3％)	4.4％(0.5％)	0％	0％	4.1％
全身反応	発熱≧38℃	4％(1％)	1％(0％)	0.9％(0.3％)	0.3％(0.2％)	24.5％	0％	0％
	倦怠感	47％(33％)	34％(23％)	38.5％(28.8％)	33.3％(22.7％)	75.5％	50.0％	40.8％
	頭　痛	42％(34％)	25％(18％)	35.4％(29.0％)	24.5％(19.3％)	65.3％	50.0％	40.8％
	悪　寒	14％(6％)	6％(3％)	9.2％(6.4％)	5.4％(4.0％)	34.7％	10.0％	4.0％
	嘔吐・嘔気	1％(1％)	0％(1％)	9.4％(8.0％)	5.2％(4.4％)	26.5％	13.3％	8.2％
	筋肉痛	21％(11％)	14％(8％)	23.7％(14.3％)	19.8％(11.8％)	53.1％	36.7％	18.4％
	関節痛	11％(6％)	9％(6％)	16.6％(11.6％)	16.4％(12.2％)	32.7％	16.7％	14.3％

† 参考資料１をもとに2021年２月作成．発赤は皮膚が赤くなること，腫脹は炎症により腫れること．（　）内は対照群における頻度．アストラゼネカ ChAdOx1 については，第Ⅲ相臨床試験での安全性に関する数値情報が公開されておらず，第Ⅰ/Ⅱ相のものを用いたため標準用量の接種群だけの頻度を示す．ファイザー BNT162b2 では嘔吐・嘔気の項目は嘔吐のみ．

それではもう一度、表2・4をみてください。ファイザー社やモデルナ社のワクチン接種群の有害事象頻度の横には括弧書きで偽薬接種群（対照群）の値が示されています。これらを比べてみると、「局所反応」の「疼痛」はワクチン接種群に多く出ていることがわかります。今回の遺伝子ワクチンの副反応と疑わしい有実事象は、局所の疼痛、倦怠感、頭痛、筋肉痛、悪寒、関節痛、発熱、ＶＶワクチンの血栓、それからｍＲＮＡワクチンのアナフィラキシーがあげられています。

血栓症

これまでに、アストラゼネカ社のＶＶワクチンをめぐっては、接種後に血栓などが確認される例が報告されていましたが、二〇二一年四月七日に欧州連合（ＥＵ）の欧州医薬品庁は、このＶＶワクチンの接種後に確認された血栓がワクチン接種に関連性がありうる、すなわち副反応である可能性を示唆する調査結果を発表しました。また、英国の医薬品・医療製品規制庁も七日、アストラゼネカ社のワクチン接種と血栓症との関連性に言及しました。血栓の生じる割合は若年層でわずかに高いことも報告され、三〇歳未満に対してはアストラゼネカ社のワクチンではなく別のワクチンを使用するよう勧めています。

英国では三月末までに、アストラゼネカ社のワクチンは二〇二〇万回接種されており、うち血栓症の報告は七九件で一九人が亡くなっています。血栓症のリスクは一〇〇万人あたり四人ときわめてまれで、ＥＵ、英国共に、アストラゼネカ社のワクチン接種のメリットは新型コロナ感染によるリスクを上回るとして、今後も接種を進めることが重要だという認識は共通しています。

この血栓に関する副反応がアストラゼネカ社のＶＶワクチンに固有のものなのか、あるいは同じような技術に基づく、ロシアのスプートニクＶやジョンソン＆ジョンソンのＶＶワクチンなどにも共通なものなのかという点は注目されます。

ジョンソン＆ジョンソン社のＶＶワクチンをめぐっても接種後に血栓などが報告されており、欧州医薬品庁は二〇二一年四月九日、ジョンソン＆ジョンソン社のワクチンについても調査していると発表しました。また、米国でも一三日、調査中として慎重を期して米国内の接種を一時停止するよう求めています。米国ではこれまでにジョンソン＆ジョンソン社のワクチンが六八〇万回接種されており、うち脳の静脈にできる珍しい血栓症の報告が六件で一人が亡くなっています。血液成分の一つである血小板の減少も伴っているようで、これらはアストラゼネカ社のワクチン接種後に血栓症を発症した患者でも報告されています。

アストラゼネカ社のワクチンの安全性について調べているＷＨＯの国際諮問委員会も七日に中間報告を発表し、現時点の情報ではアストラゼネカ社のワクチンの接種と血栓について関連性がありうると考えることは妥当としました。その一方、まだ確定したわけではなく、より詳細な研究が必要とも述べています。そのうえで、「血栓症は非常にまれなものであり、重要なのは、新型コロナウイルスに感染して亡くなるリスクと比較して評価すること」と述べました。

血栓症はワクチン接種後二週間以内に六〇歳未満の女性に多く発症しています。各機関の報告書では、接種後四~二〇日の間に、息切れや胸の痛み、脚のむくみ、持続的な腹痛、重度で持続的な頭痛や目のかすみなどの神経症状、注射部位以外の皮下に小さな血痕といった症状がみられたら、医師の診察を速やかに受けることを勧めていて、医療従事者への注意喚起も行っています。

欧州では、イタリア、スペイン、フランス、ドイツなどもアストラゼネカ社のワクチン接種による高齢者のメリットが新型コロナ感染によるリスクを上回るとして、共通の結論に達しています。わが国においても同じワクチンの接種が計画されていますが、現時点でのEUやWHOの結論は妥当なものであると思われます。

なお、ファイザー社やモデルナ社のmRNAワクチンでは、血栓症の報告は今のところありません。

アナフィラキシー

一方、ファイザー社およびモデルナ社のmRNAワクチンではアナフィラキシーが生じるとの報告があり、その頻度は一〇〇万回接種あたりファイザー社ワクチンで一一・一回、モデルナ社のワクチンで二・五回とされています(1)(ちなみにワクチン全般では一〇〇万回あたり一・三回とのこと)。

アナフィラキシーはアレルゲンによりひき起こされる急性の症状で、ときに血圧低下を招いて命にかかわることがあります。ほとんどがワクチン接種後三〇分後までに起こるので、接種会場ではアドレナリン（エピネフリン）などの治療薬が準備されているとのことです。アナフィラキシーの原因としては、mRNAのコーティングに使用される脂質粒子に含まれるポリエチレングリコール（PEG）などの化合物が原因ではないかとする指摘があります。PEGには界面活性剤としての作用があり、化粧品などに使われています。日頃PEGに接することの多い人がワクチン接種でアナフィラキシーを誘導している可能性はあります。

なお、アストラゼネカ社のVVワクチンでは、アナフィラキシーの報告は今のところありません。

抗体依存性感染増強

抗体は本来、ウイルスに結合してその活性を失わせる中和作用をするのが一般的です。新型コロナウイルスでは、ウイルスのスパイクタンパク質が細胞の受容体であるACE2タンパク質に結合し、それを足掛かりとして細胞に感染します。このときに、新型コロナウイルスに対する抗体が存在するとウイルスは細胞への侵入が抑制されるはずですが、逆に、抗体を介してウイルスの細胞への感染が増強される可能性があるというのが**抗体依存性感染増強**です。ワクチン接種による急性の肺損傷の重症化、SARS（重症急性呼吸器症候群）とMERS（中東呼吸器症候群）両方のワクチン開発においても動物モデルで観察されています。したがって、ワクチンメーカーも臨床試験に関与した研究者・医師もこの現象には注意を払ったものと考えられます。

ワクチン接種のメリットとデメリットのバランス

ここで重要なのは、副反応がまったくないワクチンはないということです。ワクチンでは免疫反応を誘導するのが目的ですから、接種した箇所には白血球が集まり、免疫反応にかかわるタンパク質が放出され、一種の炎症反応が生じます。このような反応が生じることで、抗体などが産生されるわけですが、副反応として、発熱や接種箇所の痛みなどを伴い、悪寒などの原因にもなります。いってみれば、これらの副反応はワクチンが働いているという証《あかし》でもあります。このような一連の副反応はワクチン接種に伴う必然的な現象でもあるわけです。

最終的にはワクチンによるメリットをとって接種するか、デメリットを配慮して接種を回避するかの選択になります。

ワクチン接種のメリットをあげてみましょう。感染・発症するリスクが下がる、重症化するリスクが下がる、医療崩壊やパンデミックを抑えられる可能性がある、などでしょう。今回の遺伝子ワクチンの有効率は表2・1に示しましたが、非常に高い効果があることをすでに紹介しました。

一方でデメリットはというと、副反応です。今回の遺伝子ワクチンでは、短期的なものは一般的な予防接種で生じる副反応の範疇です（ただし、二回目接種後の発熱や頭痛、倦怠感などの全身反応は、一回目接種後よりも重たい傾向があるとのことです）。アナフィラキシーは恐ろしいですが、発生頻度は低く、発症したとしても対処方法があります。しかし、きわめてまれではありますが、血栓症については認識しておく必要があります。一方、長期的にみると前節で述べたように何らかの副反応が生じてくる可能性はまったくないとはいいきれません。新型コロナの遺伝子ワクチンは異例のスピードで実現したこと、ヒトに接種されるのは今回がほぼ初めてであることなどで、不安を感じることもあるでしょう。しかし、開発や承認がスピード化されたとはいえ、ヒトへの接種まできちんとした手順がふまれています（第4章「スピーディーな遺伝子ワクチン開発の背景」参照）。mRNAワクチンは先行する技術やアイディアの蓄積があり、決して付焼刃的な技術ではありません。第7章で述べるように、VVワクチンでは動物ワクチンなどで実用化の蓄積もあります。このような、先行する技術の蓄積は遺伝子ワクチンに対する信頼性を高めます。

ワクチンの効果は病気にかかりにくい、重症化しにくいことです。一方で副反応は健康だったのに具合が悪くなったと認識しやすく、接種後何人が亡くなったなどと大きく報道されると不安になるものです。しかし、それは本当にワクチン接種と因果関係のある副反応なのか、どれくらいの頻度で起こっているのか、冷静にとらえ、ワクチン接種のメリット、すなわち病気のリスクを減らすというメリットと比べることが大切です。

第3章　新型コロナ遺伝子ワクチンと免疫

1　免疫によるウイルスの排除

「備えあれば憂いなし」ということわざにあるとおり、われわれの体には細菌やウイルスから身を護るための感染防御システムが備わっており、その代表が**免疫システム**です。感染防御でまず立ち向かうのは、体を外部から保護する役割を担う皮膚や粘膜です。新型コロナウイルスは、気道や肺の粘膜にとりつきます。このとき、ウイルスのスパイクタンパク質が細胞の受容体であるＡＣＥ２受容体に結合し、これをよりどころとしてウイルスは細胞に侵入します（図２・４参照）。

免疫システムは大きく分けて、**自然免疫**と**獲得免疫**（適応免疫）の二つがあります。

自然免疫ではくびれた独特の形をした核をもつ好中球、好酸球、好塩基球といった白血球細胞や、円形の核をもつマクロファージやリンパ球の一種であるナチュラルキラー（ＮＫ）細胞といった白血球細胞が活躍します。これらの細胞は、病原体に存在する糖、核酸あるいはタンパク質を広く異物として認識し、サイトカインというタンパク質（血清に溶けるので**液性因子**などとよばれます）を放出し感染を防ぎます。

次に、獲得免疫について説明しますが、その際に主役を演じるＣＤ４陽性Ｔ細胞を中心に紹介します（図３・１）。大切なポイントは、ＣＤ４陽性Ｔ細胞がウイルス抗原（実際にはその断片）を認識する際には、Ia抗原という自己の抗原と一緒にしか認識できないことです（①、②）。Ia抗原は

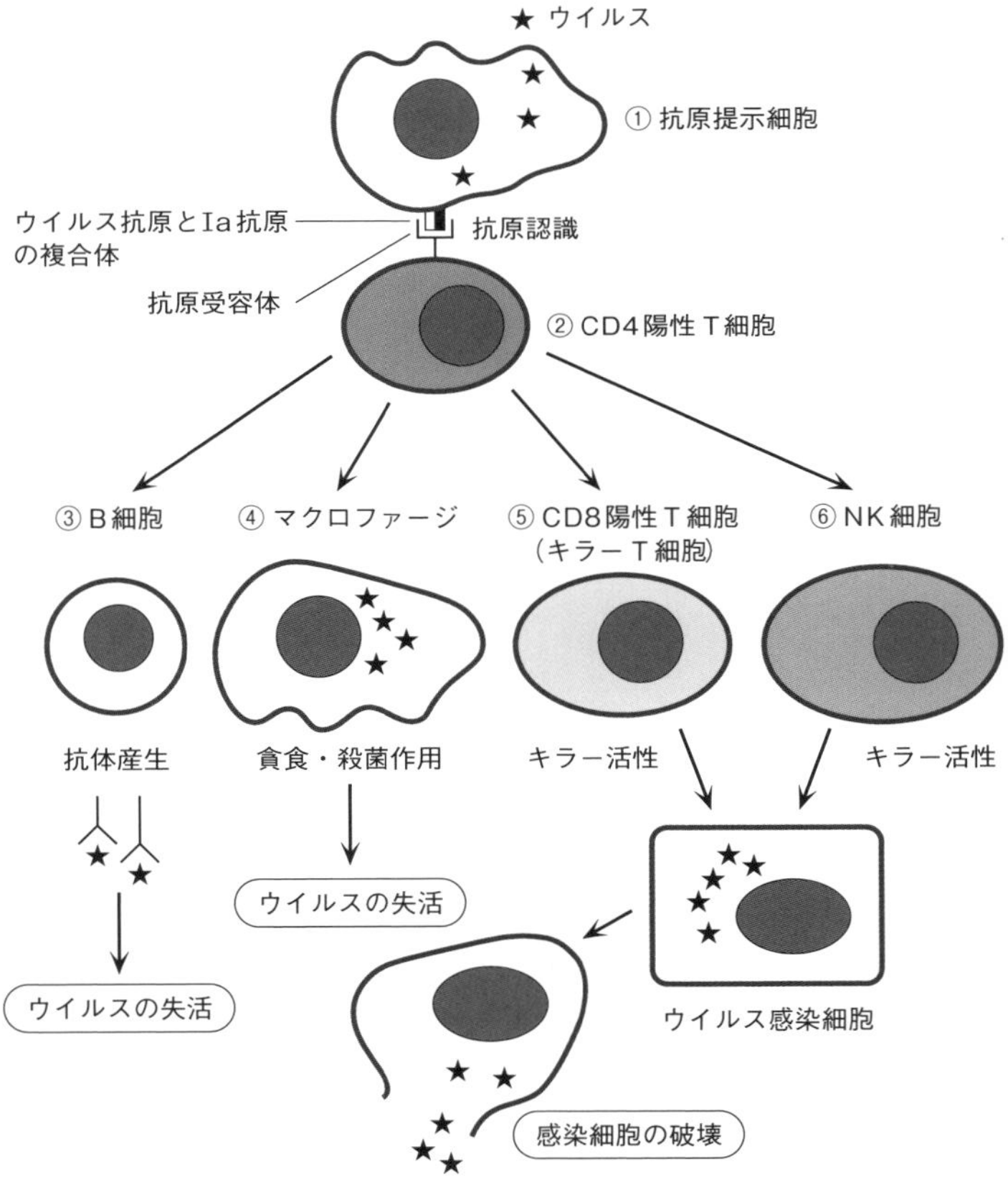

① マクロファージのような抗原提示細胞が，ウイルス抗原の一部をIa抗原と一緒に提示する．② CD4陽性T細胞がこれを認識して刺激される．その結果，③ B細胞による抗体産生，④ マクロファージによる貪食・殺菌作用の活性化，⑤ キラーT細胞（CD8陽性T細胞）の活性化，⑥ NK細胞の活性化などが起こり，ウイルスを直接失活させたり，あるいは，ウイルス感染細胞を破壊することで間接的に細胞に感染しているウイルスの増殖を抑制すると考えられる．

図 3・1　CD4陽性T細胞を中心とした免疫システム

主要組織適合遺伝子複合体（*MHC*）でコードされる抗原の一部です。MHC抗原は、簡単に説明すると、臓器移植の際に認識される抗原です。いわば、自他を区別する標識のような抗原で、MHCは個人によって異なります。これを多型とよびます。

実は、MHCが個人により異なる多型であることは、感染防御で非常に重要な意味があります。たとえば、天然痘の流行でも、すべての人が必ずしも死ぬわけではありません。それは、天然痘ウイルスが上記のMHC（Ia）抗原と一緒に認識される場合、MHCの型により効率よく認識されるものとされないものの違いが出てくるからです。効率よく認識できる型のMHCをもつ人だけが生き残ることができるかもしれないのです。一方、ペストが流行したときはどうでしょうか。天然痘に強いMHCの型が必ずしもペストに強いとは限りません。人類全体としては、MHCの型がなるべく多様である、すなわち多型であることがその存続には有利なのです。

上記のことと関連して、生殖活動では面白いことが知られています。マウスではMHC抗原から匂いが発生するのですが、交尾をする際には異なる匂いの相手を選ぶというのです。その理由は、自分の子供が多様な型のMHCをもつようになり、多種類の病原体に対処できるようになるからだと説明されています。インカ文明などはスペイン人の持ち込んだ天然痘で大打撃を受けて、文明そのものが滅んでしまいました。インディオは天然痘の洗礼を受けてなかったために、免疫されていなかったうえに、遺伝的選択が進まず、天然痘ウイルスに強いグループが選択されていなかったこともその理由の一つと思われます。

ＣＤ４陽性Ｔ細胞の役割を、図３・１の左から紹介します。ヘルパー作用といって、Ｂ細胞による抗体産生を助けます（③）。抗体は抗原物質にくっついて感染できないようにします（**中和**といいます）。抗体を中心とした免疫反応は**液性免疫**とよばれることもあり、ワクチンでは、このＣＤ４陽性Ｔ細胞を刺激することで抗体産生を助けるのは非常に重要な作用です。

次に、ＣＤ４陽性Ｔ細胞が刺激されると種々のサイトカインが放出され、マクロファージが活性化されます（④）。侵入してきたウイルスはマクロファージに取込まれて殺されます。

また、ウイルスに感染すると、感染細胞はＣＤ８陽性Ｔ細胞であるキラーＴ細胞によって破壊されます（⑤）。そうすると、ウイルスは細胞外に排出され、結果として除去されます。なお、キラーＴ細胞はＣＤ４陽性Ｔ細胞により活性化されます。また、ウイルス感染細胞やがん細胞を破壊するＮＫ細胞もＣＤ４陽性Ｔ細胞により活性化されます（⑥）。このような、Ｔ細胞を中心とした免疫反応は**細胞性免疫**とよばれます。

2　遺伝子ワクチンは細胞性免疫を誘導する

免疫というと焦点があてられるのは抗体であることが多いように思いますが、細胞性免疫も大きな役割を果たしていることはこれまでの説明からおわかりでしょう。よく、生ワクチンと不活化ワクチンの効果を比べて、生ワクチンのほうがよく効くといわれますが、これは、不活化ワクチンがおもに抗体の産生を促すのに対して生ワクチンが抗体の産生と細胞性免疫の両方を促すということがあります。新型コロナ遺伝子ワクチンも抗体の産生と細胞性免疫を両方促すことが報告されています。

たとえば、新型コロナウイルスのスパイクタンパク質をコードするアデノウイルスVVワクチンは、マウスとアカゲザルで新型コロナウイルススパイクタンパク質に対する抗体と細胞性免疫応答を誘導することが示されています。(1) ワクチン接種後に新型コロナウイルスに感染させたアカゲザルではウイルス量が減少しており、重症化（肺炎）が防がれたとのことです。

3 新型コロナにおける細胞性免疫の重要性

新型コロナウイルス感染症では、抗体ばかりでなく細胞性免疫の関与が重要であることを強調する総説が発表されてきました。(2) 次に、いくつかの関連するオリジナル論文を紹介します。

一つ目は、カロリンスカ研究所のM・バガートらによる研究で、無症状ないし軽症の新型コロナウイルス感染症では強い細胞性免疫が成立していることを、科学誌セルに報告しています。(3) 注目すべきことは、抗体が陰性の人にもこのような免疫が成立していたことです。

二つ目は、シンガポール国立大学のＣ・Ｃ・タムらの研究で、新型コロナの無症状感染者に、非常に高い活性をもつウイルス特異的なＴ細胞が存在することを報告していることです。(4) 新型コロナウイルスが検出されなくなった無症状感染者八五人では、病理的症状がなく、感染防御が成立していると判断されました。著者らは、無症状であった患者八五人および症状を示した患者七五人の新型コロナウイルスに特異的なＴ細胞を調べました。無症状者のＴ細胞は抗ウイルス性のサイトカイン産生の増加を示しました。このことは、無症状者では細胞性免疫が働いていることを示唆しました。

三つ目は、米国ロックフェラー大学のＭ・Ｃ・ナッセンツウェイグらの研究です。(5) 新型コロナウイルスに対するＴ細胞の免疫記憶を解析するために、感染後に平均一・三カ月および六・一カ月を経過した患者四一人のＴ細胞応答を測定しました。その結果、免疫記憶はこの間維持されていることが示されました。

以上の一連の報告は、新型コロナウイルスに感染した人の無症状あるいは軽症の維持に細胞性免疫が寄与している可能性を強く示唆すると共に、ワクチン接種による細胞性免疫の誘導の重要性を示すものです。

章末のコラム「おもに細胞性免疫が働くワクチン」でウシ白血病ウイルス（ＢＬＶ）のＶＶワクチンについて述べますが、このワクチンでは抗体の誘導なしで、細胞性免疫によりＢＬＶの増殖を抑制しました。このように、ＶＶワクチンが新型コロナウイルスに対して細胞性免疫を誘導できることは新型コロナ遺伝子ワクチンでも報告されています。今後、新型コロナウイルスのＶＶワクチンおよびｍＲＮＡワクチンによる細胞性免疫誘導能に注目する必要があるでしょう。

4　B細胞とT細胞でのウイルス認識の違い

もう一度、図３・１に戻りましょう。図ではＣＤ４陽性Ｔ細胞がウイルス抗原を認識する際の様子が示されています。ＣＤ４陽性Ｔ細胞の抗原受容体は、抗原提示細胞上のウイルス抗原をＭＨＣ抗原であるIa抗原と一緒に認識します。この際に認識されるウイルス抗原は断片化された短い鎖状のタンパク質（ペプチド）になっています。すなわち、Ｔ細胞は抗原タンパク質断片のアミノ酸配列（一次構造）を認識するのです。

このことを象徴するような実験を行ったことがあります。リゾチームという細菌の細胞壁を分解する卵の酵素を用いた実験です。このリゾチームというタンパク質にドデカノールというアルコールを結合させて変性させると、タンパク質の折りたたみ構造（高次構造）が変化してしまい、水溶性だったリゾチームは不溶性に変性します。

マウスにリゾチームで免疫をつけ、のちにリゾチームを与えると遅延型アレルギーが誘導され足の裏が腫れます。このアレルギー反応はリゾチームでも変性リゾチームでも惹起されます。逆に、変性リゾチームで免疫をつけても、アレルギー反応は変性リゾチームでもリゾチームでも惹起されます。一方、抗体で認識されるのは抗原の高次構造ですから、タンパク質を変性させるとその抗原性は大きく変わります。リゾチームはリゾチームに対する抗体と反応しますが、変性リゾチームはリゾチームに対する抗体と反応しないのです。

すなわち、CD4陽性T細胞で認識される抗原タンパク質の抗原構造は変性させても認識されますが、抗体が認識する抗原構造は変性させると認識されなくなります。つまり、T細胞は抗原タンパク質の一次構造を認識しているが、B細胞は高次構造を認識していることを意味します。

このことは、新型コロナウイルスの感染性でも重要な関連をもちます。新型コロナウイルスと近縁にあるウイルスとの間に、共通する一次構造が存在する可能性があり、これに関連した仮説があるので紹介します。

5　風邪の免疫が新型コロナでも働く？

米国やドイツ、シンガポールなどからいくつも、新型コロナウイルスに感染したことのない人の二〇～五〇％に、新型コロナウイルスに反応するT細胞が確認されたという報告がなされています。(6) また、これらのT細胞が、風邪をひき起こすヒトコロナウイルス四種類のうち少なくとも一つを認識することが明らかになっています。(7) これらのヒトコロナウイルスは新型コロナウイルスの近縁であり、部分的に一次構造が似ているため、「風邪をひいた」ことで記憶していたCD４陽性T細胞による免疫反応が新型コロナでも働くのではないかという推測が成り立つのです。

このような、あるウイルス（病原体）に対して働くT細胞で、別の似たウイルスでも働くものを**交差性T細胞**とよびます。新型コロナに対して交差性T細胞が働くという仮説は、ワクチンの効果や小児と大人での症状の違い、アジアと欧米での感染状況の違いなどを説明できるかもしれませんが、いまだ仮説の段階で実験的な検証が重ねられています。

6　無症状の人は自然免疫で護られた？

もう一つ、新型コロナでは、無症状者や軽症者が多いことが知られていますが、その理由の一つとして、感染した後、獲得免疫が発動する前に自然免疫でウイルスが処理されるためではないかという仮説があります。この説も必ずしも科学的に実証されているわけではありませんが、考え方としては面白いので、これに関連した賛否両論の仮説を紹介しておきましょう。

BCGワクチンと新型コロナ予防に関連はあるのか

一般に自然免疫には獲得免疫にみられるような免疫記憶はありません。しかし、自然免疫も訓練すると強くなるという説があり、それを裏付けるデータがいくつかあります。その一つは第1章でも紹介した結核ワクチンであるBCGワクチンです。乳児の時期にBCGワクチンを接種すると何年もの間結核菌以外のいろいろな感染症に対する抵抗性が出てくることが知られています。BCGワクチン接種によって自然免疫が訓練されたのではないかと考えるわけです。

二〇二〇年四月、新型コロナウイルスの感染拡大が世界中に広がったころ、「BCGワクチン接種政策とCOVID–19の罹患率および死亡率の減少との相関関係：疫学調査」と題する論文が報告されました(8)。そこでは、「新型コロナウイルス感染症は世界中に広がっており、不思議なことに、影響は国によって異なる。この違いは、文化的規範、緩和策、医療インフラの違いに起因している。」としたうえで、「ここでは、新型コロナウイルス感染症の影響の国ごとの違いがBCGワクチン接種の政策の違いによって部分的に説明できることを示す。」と続き、「BCG接種政策をとっていない国（イタリア、オランダ、米国など）は、BCG政策をとっている国（日本など）に比べて、より深刻な影響を受けている。」としました。このころ、新型コロナウイルス感染症の被害は欧米諸国に比して、わが国を含む東アジア諸国では相対的に軽度であったことから、幼児期に接種したBCGワクチンに効果があるとする仮説は受入れやすく、ニュースなどで目にした人が多いと思います。

しかし、このような現象は論文の著者もいうとおり社会的、経済的、国家間の人口統計の違いなどにより影響されます。疫学的に相関関係があるからといって、因果関係があることにはなりません。その後、BCGワクチン接種と新型コロナウイルス感染症の関連について報告が重ねられていますが、二〇二一年四月の時点では両者を直接結びつけられる結論は出ておらず、WHOや日本ワクチン学会は「いまだその真偽が科学的に確認されたものではなく、現時点では否定も肯定も、もちろん（BCGワクチン接種の）推奨もされない。」という旨の声明を出して、この声明は撤回されていません。

ただ、先ほども述べたように、BCGワクチンが結核以外の感染症に対する抵抗性を付与する知見はあるわけですから、面白い説であると思います。今後の研究の進展が待たれます。現在、臨床的な調査が複数行われているとのことです。

コラム　おもに細胞性免疫が働くワクチン

次に述べるのは筆者らのグループによる「ウシ白血病ウイルスに対するワクチニアウイルスを用いたVVワクチン」の研究です。ウシ白血病ウイルス（BLV）はウシに感染して白血病を発症させますが、ヒツジにも感染して白血病を発症させます。そこで、扱いやすいヒツジを実験動物に使用し、接種実験は岩手大学農学部で行いました。使用したのは、ワクチニアウイルス株LC16m0にBLVの外被タンパク質遺伝子を挿入したVVワクチンです。ワクチン接

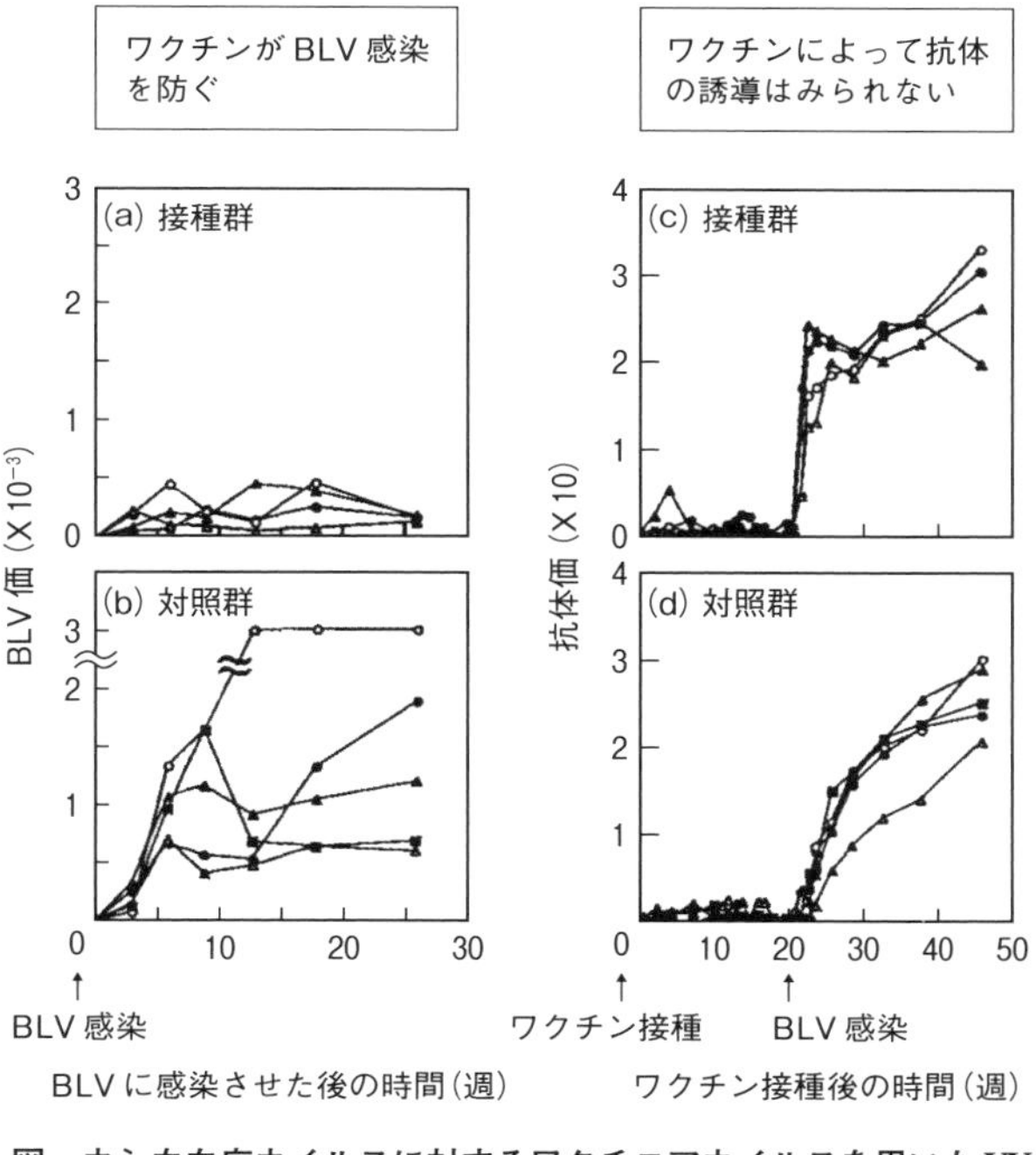

図　ウシ白血病ウイルスに対するワクチニアウイルスを用いたVVワクチンの効果［K.Ohishi *et al.*, *J. Gen. Virol.*, **72**, 1887(1991)より］

種後、二〇週間後にＢＬＶに感染させました。図（ａ）にはＶＶワクチンを接種した群を、図（ｂ）には対照としてLC16mO株のみを接種した群を示します。接種後の感染させたＢＬＶの量を追跡したところ、ワクチン接種群（ａ）では、LC16mO株のみを接種した対照群（ｂ）よりもウイルスの増殖が明らかに抑制されました。

一方、ＢＬＶの外被タンパク質に対する抗体の量（抗体価）を調べたところ、ＢＬＶに感染させるまでは、ワクチン接種群（ｃ）および対照群（ｄ）いずれでも、抗体価はごくわずかしか上昇しませんでしたが、ＢＬＶに感染後は抗体価が急上昇しました。

この実験で重要なことは、ＢＬＶの外被タンパク質に対する抗体がほとんど誘導されない時点で、ＢＬＶの上昇が抑制されたことです。すなわち、ＢＬＶの抑制には抗体ではなく、細胞性免疫が作用していると推定されました。ちなみに、このＶＶワクチンの接種によって、末梢リンパ球の増殖試験で検証した細胞性免疫は、強く誘導されていることがわかっています。

ＶＶワクチンではなぜ外被タンパク質に対する抗体が誘導されなかったかその理由は定かではありませんが、いずれにしても、ＢＬＶの増殖抑制には、抗体ではなくて細胞性免疫が有効に働いていることが明らかになりました。

ＢＬＶはヒト白血病ウイルスと同様レトロウイルスに属します。レトロウイルスはＲＮＡウイルスで、エイズウイルス（ＨＩＶ）の仲間です。エイズウイルスが一九八三年に発見されてからほぼ四〇年経た今日でも、エイズウイルスに対する有効なワクチンは開発されていません。幸い、有効な抗エイズ薬の開発が患者を救っていますが、ワクチンの開発が困難である最大の理由は、ＲＮＡウイルスであるエイズウイルスが、逆転写酵素でＤＮＡに変換され、われわれの細胞のＤＮＡに潜入してしまうことです。そうすると、抗体は無力になります。頼みになるのは細胞性免疫です。そこで、このＢＬＶの動物実験の結果などにヒントを得て、「細胞性免疫によるエイズ克服戦略(9)」を提唱しました。なお、エイズに関連しては拙書を参照していただければ幸いです(10)。

また、すでに紹介したように、新型コロナでは無症状ないし軽症者において、抗体が存在しないでＴ細胞の細胞性免疫が活性化していることがあると報告されており、この現象と類似性があり興味深いところがあります。

第4章　スピーディーな遺伝子ワクチン開発の背景

1　ワクチン材料を合成できる利点

開発スピード

遺伝子ワクチンの定義は、確定したものはありませんが、「遺伝子組換え技術を用いて作製された、おもに核酸で構成されたワクチン」と定義しておきましょう。現在接種が開始されているmRNAワクチンやVVワクチンも含まれます。なお、ここでの議論は、病原体の対象を細菌ではなくウイルスにしぼります。

従来の生ワクチンは弱毒化された生きたウイルスをワクチンの材料にしていますし、不活化ワクチンでも、ウイルスをホルマリンなどで失活したものを材料に用いています。成分ワクチンでは、ウイルスの構成タンパク質などをワクチンの材料に用います。一方の遺伝子ワクチンの材料は、ウイルスそのものは材料として用いずに、ウイルスを構成するタンパク質のもとになる遺伝情報に基づき、RNAやDNAを材料に用います。ここが、従来のワクチンと遺伝子ワクチンの決定的な違いです。

従来のワクチンは、受精卵で生育している鶏胚《けいはい》にウイルスを接種して増やしたり（インフルエンザワクチン）、あるいは培養細胞にウイルスを接種して増やしたりしました。以前の天然痘ワクチンは、ウシに牛痘（ワクチニアウイルス）を接種し、腫れあがったリンパ節の膿を採取してワクチンに用いていましたが、ワクチニアウイルスの弱毒株であるLC16m8株は培養細胞で増やしたことをすでに述べました。

ウイルスを増殖させるのには、鶏胚がよいのか、培養細胞を使うのがよいのか、培養細胞を使うにしてもどのような種類の細胞がよいのか、ということに関しては必ずしも理論はなく、試してみるほかはありませんでした。このような選択の過程には、意外と時間がかかることがあります。

従来のウイルスを用いたワクチン製造には、手間がかかり、危険も伴いました。時間と費用もかかったのです。一方、mＲＮＡワクチンでもVVワクチンでも、材料となる核酸は化学合成でつくられます。ウイルスを材料に用いるより、安い費用で材料をつくることができるのです。当然、作製にかかる時間も短くなります。mＲＮＡワクチンでは、mＲＮＡを封入する脂質粒子の作製といったことに手間がかかる過程もありますが、全体としてウイルスを出発材料にするより利点が多いのです。

変異への迅速な対応

新型コロナウイルスのゲノムＲＮＡは約三万の「塩基配列」からなります。ＲＮＡはアデニン、グアニン、ウラシル、シトシンという四種類の「塩基」がそのゲノム特有の配列でつながっていて、塩基の並び方が、そのＲＮＡから翻訳されるタンパク質の情報となります。このうちの一つの塩基が異なる塩基に置き換わってしまったり、他の塩基が挿入されたり、あるいはその塩基自体が抜けてしまうことを**変異**といいます。変異の位置によっては翻訳されるタンパク質のアミノ酸配列が変化することがあり、アミノ酸配列が変化すると何が起こるかというとタンパク質の折りたたみ構造が変わってしまう、つまりタンパク質のかたちが変わってしまう可能性があるということになります。変わるか変わらないか、どの程度変わるかは変異の場所や変わり方によって異なります。

新型コロナウイルスのゲノムＲＮＡは、二週間に約一回塩基が変異するといわれています。ウイルスがヒトの細胞に感染する際に重要な役割を果たすスパイクタンパク質をコードする領域に変異が起こり、スパイクタンパク質のアミノ酸配列に変化が起こると、ウイルスの感染性やワクチンの効果に影響が出てくる可能性があります。次章で詳しく述べますが、英国や南アフリカ共和国などで変異株が出現しています。これらの変異株では、スパイクタンパク質をコードする領域に変異が確認されており、感染力は高まっているようです。ワクチン効果については、英国の変異株はあまり影響しないといわれていますが、南アフリカの変異株はワクチン効果が弱まるとされています。今後の変異株の拡大に注意すると共に、ワクチンの有効性の監視が重要になってきます。

現在、遺伝子ワクチンのメーカーは変異ウイルスに対応するワクチンの開発を準備していると報じられています。この場合、変異したスパイクタンパク質の塩基配列さえわかれば、化学合成で対応が可能な遺伝子ワクチンは製造のときと同じ理由でスピーディーに対応できる利点があります。

2　製造過程と承認までの流れ

従来の開発期間は一〇年

図４・１に、ワクチン開発の流れを示します。まず、探索段階でどのようなワクチンにするか、ワクチン候補となる物質が決まります。次に、それに従って作製されたワクチンを培養細胞や動物で試験します。ここで、人間への投与量などが暫定的に決まります。次のステップの臨床試験は、第Ⅰ相、第Ⅱ相、第Ⅲ相と三段階に分かれます。第Ⅰ相では百人以下の比較的少人数で、おもに安全性が試験されます。第Ⅱ相では数百人規模で、安全性と免疫効果などが調べられます。第Ⅲ相では数千人の大規模試験になり、安全性と共にワクチンの有効性が調べられます。その後承認審査に移り、審査を通って承認されると、上市・販売へと進むことになります。さらに、販売後には何十万人、何百万人という多数の人に接種されることになるわけですが、そこで指摘された問

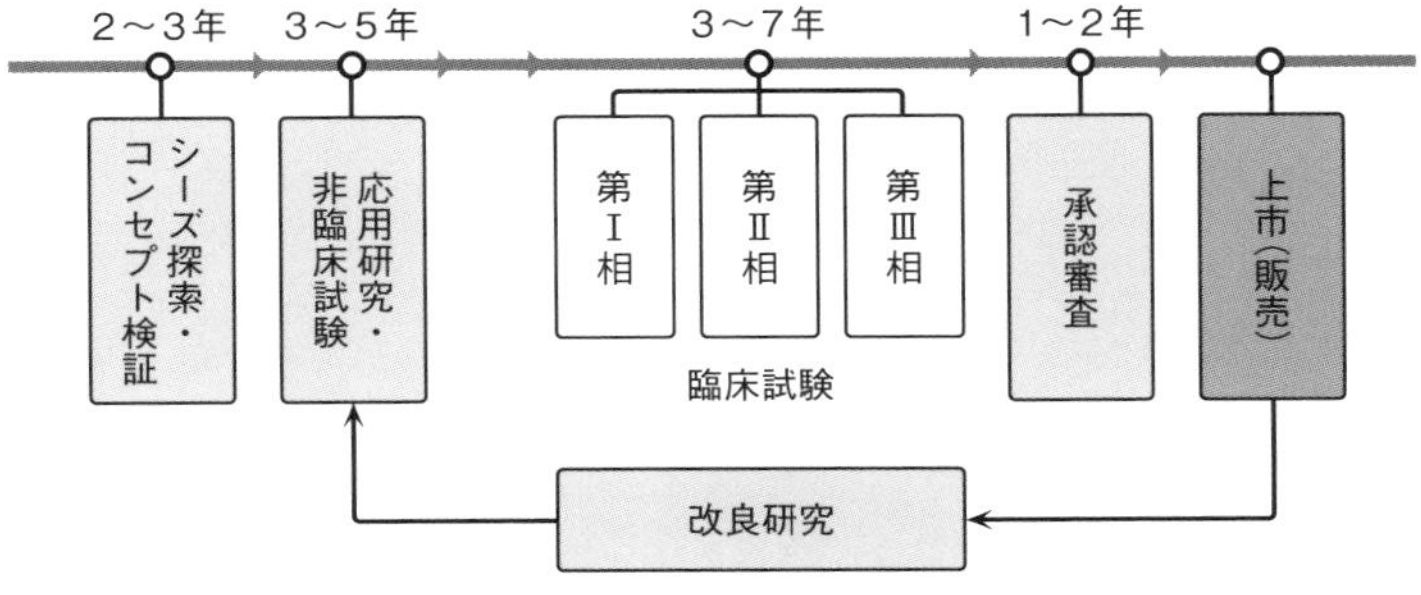

図 4・1　ワクチン開発の流れ［BIKEN ホームページより］

題をもとに、さらに改良研究が進められます。このような過程は、従来のワクチンでも、遺伝子ワクチンでも、基本的には同じです。

新型コロナのパンデミックがあまりに深刻な被害を世界にもたらしたために、世界中でワクチン開発が急がれました。驚くべきことは、新型コロナの遺伝子ワクチンはウイルスの発見から一年もたたないうちに、ヒトへの接種にこぎつけたことでした。図４・１に示すこれまでのワクチン開発と比べると、それがいかに短期間であったかということは驚きです。

従来のワクチンでは、材料となるウイルスを培養細胞などで増やし、それからウイルスを精製したりする手間がかかりました。そのために、病原体ウイルスが特定され、ワクチンの接種が行われるまでに、早くて五年、普通は一〇年以上かかりました。これに対して、新型コロナの遺伝子ワクチンはこの過程が一年以内という異例の短期間で終了したのです。

一年でワクチンを開発できた理由

遺伝子ワクチンが速やかに開発された理由としては、すでにいくつかの要因を述べました。それ以外にも、いくつかの理由が指摘されています。たとえば、図４・２に示すように、開発において、個々のステップが終わってから次のステップに進むという手順をとらないで、各ステップを重なる形で同時進行する手段がとられたことです。従来は基礎研究が終わってから非臨床試験、臨床試験の第Ⅰ相から第Ⅲ相はそれぞれ終了してから次のステップに進むのですが、各ステップは重複して進行しました。また、緊急措置として承認審査を早めたこと、さらに各国政府や国際機関による開発資金の援助、ワクチン開発がパンデミックのさなかで進行したことも、開発に有利に働きました（第8章コラム参照）。

図4・1に示した第Ⅰ相から第Ⅲ相は医薬品開発の難所で、多くの治験者を集めるのは大変なことですし、そのために多額の費用もかかります。ワクチンの安全性は比較的容易に検証できます。しかし、有効性を調べるのはそれほど容易ではありません。抗体価の上昇などは簡単に調べることができますが、それだけでは不十分で、実際に感染予防や発症予防に効果があるのかどうか検証する必要があります。すなわ

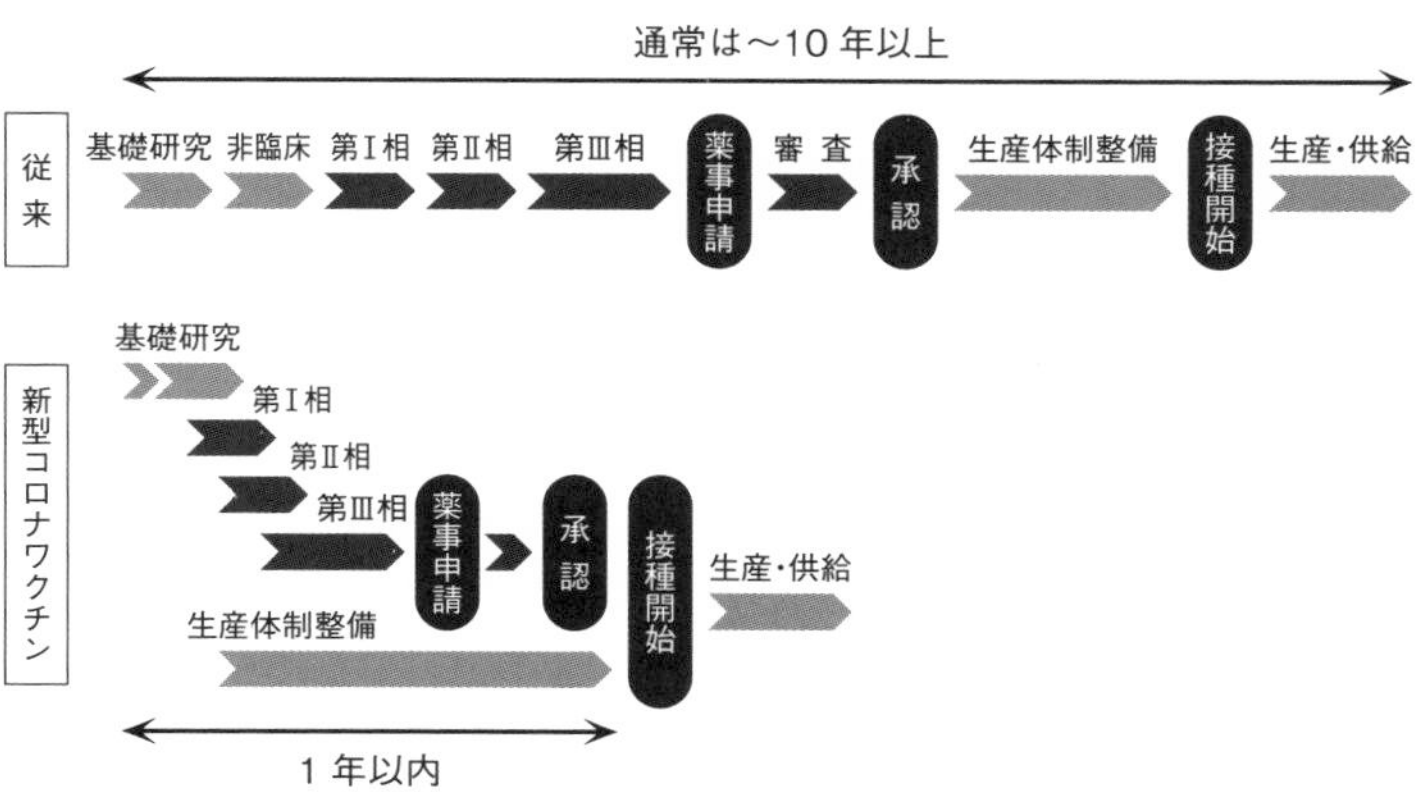

図 4・2　新型コロナワクチン開発スケジュール［日置 仰ほか,「ワクチン開発研究（COVID－19）」, 実験医学増刊 , **39**, 263 (2021) より］

ち、ワクチンが効くのかどうかを検証しなければなりません。感染が流行していて、ある程度、感染する確率の高い条件にいないとデータをとることが困難です。この点、ワクチン開発のさなか、パンデミックが隆盛をきわめた地域が多かったことは、ワクチン開発を促進しました。試験用のワクチンを接種する人と偽薬のワクチンを接種する人の二群に分けての調査を比較的容易に行うことができました。ワクチン接種群での発症頻度が、偽薬接種群より有意に低ければワクチンには効果があったということになります。このような臨床試験の研究でワクチンの有効率が求められました。パンデミックが激しいことがワクチン開発を促進したというのは皮肉なことですが。

3　最後の関門「国家検定」

新型コロナ遺伝子ワクチンの開発の流れを述べ、また、これまでのワクチン開発にはみられないスピードで開発が達成された理由を説明してきました。承認されたワクチンは製造・販売の段階、すなわち上市の段階に移りますが、この段階で製造されたワクチンの「ロット」の最終検査である「国家検定」が実施されます（図４・３）。実施機関は国立感染症研究所です。ロットとは、実際にワクチンを製造する際のひとまとまりのことで、同じ特性や品質をもちます。ワクチンはすべてのロットがこの検定を受けます。核心的なことは、市場に出して人に接種されるワクチンが、臨床試験に用いられたワクチンと同じ生物学的物理化学的性状をもつことの保証を得ることにあります。いわば、ワクチン開発における最後の関門です。

それというのも、過去に経験したワクチン禍がありました。有名な事件に、たとえばトキソイドワクチンによる京都・島根ジフテリア事件があります。これは、ジフテリアの毒素のホルマリンによる無毒化が不十分なために起こりました。もう一つ、米国のカッター事件があります。一九五五年カッター研究所で作製された不活化ポリオワクチンに、不活化されていない野生株ポリオウイルスが混入して起こった事件です。これらは製造過程の管理や品質管理が不十分なために起こった人為的ミスによる事故で、いずれもここで述べた国家検定により防げた事件です。

ワクチンはこのように、承認や検定をいくつも満たして上市され、われわれに届き、接種されます。

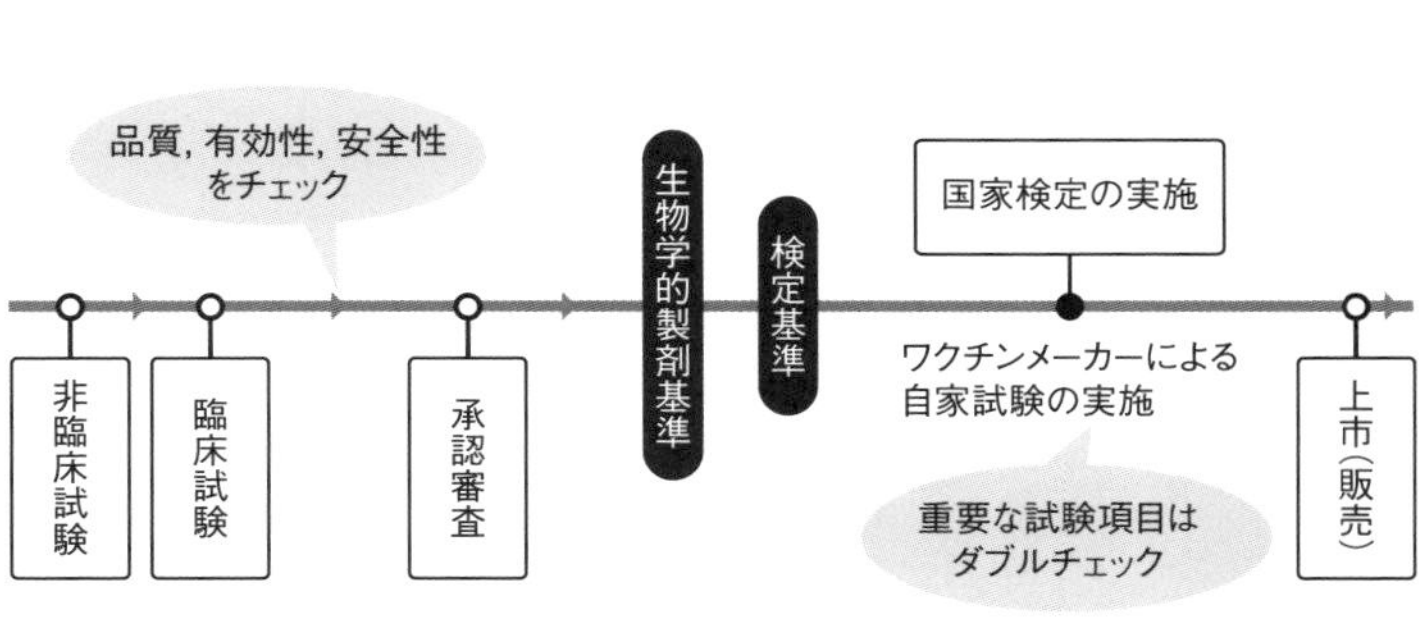

図 4·3　ワクチンの国家検定　承認規格を満たし，国家検定に合格したロットのみが出荷される．［厚生労働省ホームページ「ワクチンの品質管理について」より］

コラム　人チャレンジ治験

すでに述べましたように、ワクチンを発明した英国のジェンナーは、少年に牛痘の膿を接種してから天然痘に感染させて、牛痘の膿にワクチンの効果があることを示しました。まさに、人体でチャレンジの治験を行ったのです。このような、ワクチン候補を健康な人に接種させてから、意図的に病原体に感染させてワクチンの効果を調べる方法は「人チャレンジ治験」とよばれています。現在ではこのような人チャレンジ治験は一般には認められていません。当然倫理問題があります。しかし二〇二〇年五月、WHOはこのパンデミックを受け、ワクチンの開発期間を短くするために人チャレンジ治験を許容しうる倫理の枠をつくりました。[1]

これを受けて英国政府は人チャレンジ治験を行うと発表しました。[2] この治験には、一八歳から三〇歳までのボランティアが最大九〇人募集され、健康であること、接種する新型コロナウイルスの量は最小限であることなど厳しい条件が付けられています。ワクチンで輝かしい歴史をもつ英国の面目躍如といったところです。ボランティアの安全性は当然のことながら最優先されます。使用されるウイルスは、二〇二〇年三月以降英国で流行した株が使用されますが、このウイルス株は若年層にリスクが低いことが知られています。医師および科学者がボランティアに対するウイルスの効果をモニターし、毎日二四時間しっかり見守ることになっています。このような試みにより、治験者の人数を大幅に減らし、期間を短縮できます。

第5章　変異株とワクチン

1　新型コロナウイルスの変異株

英国で端を発した新型コロナウイルスの変異株の出現は、非常に激しいものがあります。新たな変異株は、南アフリカ共和国、ブラジルなどでも発生しており、WHOが新型コロナウイルス感染症のパンデミックを宣言してから一年が経過し、変異ウイルスによる感染拡大が進んでいます。WHOによると、二〇二一年四月一三日の時点で、英国型が一三二カ国、南アフリカ型が八二カ国、ブラジル型が五二カ国に拡大しているとのことです[1]。わが国にも変異株が流入しており、いずれ大部分のウイルスが変異株に置き換わる危険性があることを専門家は指摘しています。

変異ウイルスに対するおもな懸念は、感染性の強さが上昇すること、症状が重症化しやすくなること、さらに成立していた免疫の効果が弱まったり、ワクチンの効果が低下したりすることです。英国エクセター大学の研究チームは、英国型では従来の型より死亡リスクが最大二倍になる可能性を指摘しています[2]。また、南アフリカ型の変異株ではファイザー社やモデルナ社のワクチンの効果が下がるという報告もあり、アストラゼネカ社のワクチンも、軽症者に対する効果が従来型のウイルス株に比べて限定的であるとしています[1]（表5・1）。各ワクチンメーカーは、変異株に対するワクチン効果の検討を進め、変異株に対応する新しいワクチンの開発も始めています。

遺伝子変異は、ウイルスのゲノムのいろいろな箇所で起こる可能性がありますが、感染力やワクチン効果に大きく影響するのは、スパイクタンパク質遺伝子と考えられます。ただし、ウイルスゲノムの他の箇所の変異がウイルスの感染力や免疫誘導効果に影響を与える可能性は排除できません。

現在特に注目されている英国型、南アフリカ型、ブラジル型の変異株は、スパイクタンパク質のなかでも特に感染の足がかりとなる領域のアミノ酸配列を変える変異がいくつか入っており、たとえばそのうち五〇一番目のアミノ酸がアスパラギン（N）からチロシン（Y）へ置換したものは感染力を高める、四八四番目のアミノ酸がグルタミン酸（E）からリシン（K）に置換したものはワクチンの効きを悪くするといわれています。

では、なぜ新型コロナウイルスがこのように激しい遺伝子変異をひき起こすのか、その根本原因にさかのぼって考えてみます。ウイルスは、大き

表 5・1　新型コロナウイルス変異株の特徴［参考資料1より］

変異株	英国型	南アフリカ型	ブラジル型
感染国	132カ国	82カ国	52カ国
スパイクタンパク質におけるおもな変異箇所†	N501Y	N501Y K417N E484K	N501Y K417T E484K
感染力	43〜90％増加	50％増加	増　加
重症度	入院と重症化，死亡率のリスク上昇の可能性あり	院内死亡率のリスク上昇の可能性あり	調査中 影響は限定的
ワクチン効果	大きな影響なし	抗体の中和活性低下などの報告あり	抗体の中和活性低下などの報告あり

† N501Yは，スパイクタンパク質の501番目のアミノ酸がアスパラギン（N）からチロシン（Y）へ置換したことを示す．同様に，K417Nは417番目のアミノ酸がリシン（K）からアスパラギン（N）に，E484Kは484番目のアミノ酸がグルタミン酸（E）からリシン（K）に置換したことを示す．

く分けて、ＤＮＡウイルスとＲＮＡウイルスに分かれます。新型コロナウイルスが激しい遺伝子変異を生じる最大の理由はＲＮＡウイルスだからです。

2　ＤＮＡウイルスとＲＮＡウイルス

インフルエンザウイルスやヒト免疫不全ウイルス（ＨＩＶ）のようなＲＮＡウイルスは、ＤＮＡウイルスより遺伝子変異が活発に生じます。同じＲＮＡウイルスの新型コロナウイルスでも約二週間に一箇所程度の頻度で遺伝子変異が起こっていると報告されています。

まず、ＤＮＡとＲＮＡの違いについてみていきましょう。図２・５でも説明しましたが、ＤＮＡには遺伝情報が含まれていて、これをＲＮＡに「転写」して、さらにタンパク質へと「翻訳」します。生物のゲノムは大腸菌からヒトに至るまですべてＤＮＡでできています。ＲＮＡをゲノムに使用しなかったおもな理由は、ＤＮＡはＲＮＡに比べて化学的に安定だからです。ＤＮＡとＲＮＡはいずれも、ヌクレオチドとよばれる塩基－糖－リン酸の単位の繰返し構造をとりますが、ＤＮＡではＲＮＡの糖についている一つのヒドロキシ（ＯＨ）基が水素（Ｈ）に代わっています。これがＤＮＡの安定性に寄与します。ＤＮＡもＲＮＡも長い鎖であり、ヌクレオチドの繰返しは多数にのぼります。ですからＯＨがＨに置き換わった効果は分子全体では大きなものになり、これは、

DNAに比べてRNAが不安定である要因になっています。DNAはさらに二重らせんをとることによっても安定性をあげているわけですが、遺伝情報の入れ物という役割上DNAは安定なほうがいいわけです。一方でRNAはタンパク質をつくったらさっさと消えてくれたほうがよいのでむしろ不安定なほうがよいのでしょう。最初の生命体のゲノムはRNAであったという説もありますが、進化の初期により安定なDNAに代わったと考えられています。

生物と無生物の中間のような存在であるウイルスはどうでしょうか。ウイルスにはゲノムがDNAのものとRNAのものがあるのです。RNAウイルスはゲノムが不安定であるというデメリットをもつことになるわけですが、それはのちに説明するように、変幻自在に自らの抗原性を変化させ、宿主の免疫から身をかわすことができるというメリットで帳消しにしていると思われます。

3　遺伝子変異が激しいRNAウイルス

生物にとって、ゲノムにやたらと遺伝子変異を生じるのは、自己のアイデンティティーを確保するうえで致命的です。通常の機能が失われ、生命体はあっという間に滅びます。個体は早晩がんになるでしょうし、子孫を残すことが難しくなるかもしれません。そのため、DNAをゲノムにもつ生物では、遺伝子変異を防ぐための精緻で強力な修復システムを備えています。筆者は、ウェルナー症候群という、通常より早く老いる遺伝的早老症の研究に関与していましたが、この疾患では遺伝子修復に関与する酵素をコードする *WRN* 遺伝子に変異が入っていることが認められました(3)。この遺伝子一つが異常になるだけで、種々の早老症状を示し、平均四五歳くらいで亡くなってしまうのです。この遺伝子修復に関与するのは、DNAの修復の際にDNAを解《ほど》く役割をするヘリカーゼというタンパク質です。それをコードするのは *WRN* 遺伝子です。*WRN* 遺伝子と同じ仲間である *RECQ* 遺伝子は大腸菌からヒトまでのすべての生物に存在します。少しわき道にそれましたが、生物はゲノムであるDNAが変異しないように *RECQ* 遺伝子をはじめとして、多種多様な遺伝子修復関連の遺伝子を備えています。比べてRNAウイルスは、ゲノムの変異にあまりに無頓着です。RNAウイルスは、「私は生物ではない」とうそぶいているのかもしれません。

RNAウイルスの複製RNAに遺伝子変異がなぜ高率に起こるのかという点については、上述したように、そもそもRNAが化学的に不安定で分解しやすいことが背景にあると思われます。それ以外に、ウイルスゲノムの複製回数が多いこともあり高い頻度でエラーが導入されること、ウイルスRNA間で高頻度に遺伝情報の組換えや再集合が起こり、複数の変異セットを一気に獲得するといったことがあげられています。そして、DNAと異なり、RNAウイルスにはRNA複製時のゲノム修復システムがないか貧弱なため、生じた変異がそのまま存続しがちなことがあげられます。

RNAウイルスの中でも極端な例ですが、HIV-1の遺伝子は、真核細胞生物やDNAウイルスの遺伝子の一〇〇万倍以上のスピードで変異していることがサイエンス誌に報告されています(4)。

一方、ＤＮＡウイルスである天然痘ウイルスは、いわば頑固者で、紀元前一一四一年に死亡したラムセス五世にとりついていた天然痘ウイルスと、根絶計画で天然痘の最後の患者（一九七七年）のウイルスとの間にはたいして変異が蓄積されていなかったのではないでしょうか。もしも天然痘ウイルスがＲＮＡウイルスであったならば、根絶はスムーズには進まなかったでしょう。

4　新型コロナウイルスの生存戦略

ウイルスにとり、最大の敵はわれわれの体に備わっている免疫システムです。獲得免疫によりつくられる抗体は、抗原を中和させウイルスを失活させます。ウイルスは、抗体のターゲットになるウイルスの標識、すなわち抗原を隠したいところで、新型コロナウイルスでいえばそれはスパイクタンパク質です。もし、遺伝子変異によりスパイクタンパク質の姿を変えることができれば、抗体からの攻撃をまぬがれることができます。また、より細胞にとりつきやすい形にスパイクタンパク質の形を変えられれば感染力が高まります。このように、遺伝子変異によりスパイクタンパク質を変化させることは、新型コロナウイルスの生存と増殖にプラスに働きます。

新型コロナウイルスの特徴の一つは、ゲノムＲＮＡが他のウイルスと比べてかなり大きいことです。ちなみに、ゲノムRNAのサイズは、インフルエンザウイルスで九千塩基程度、HIVでは一万四千塩基程度ですが、新型コロナウイルスでは三万塩基程度もあります[5]（図5・1）。新型コロナウイルスのゲノムのうち、スパイク（S）、エンベロープ（E）、ヌクレオカプシド（N）などの構造タンパク質やその補助タンパク質をコードしているのはたった三分の一程度で、残り三分の二は、ウイルスの複製に関わるタンパク質がコードされています。ウイルス複製に関わるゲノム領域が大きいということは、それだけ強力な複製機構をもっていることを意味します。

もう一つの大きな特徴は、RNAウイルスとしては珍しく、RNAの複製修復に関与するタンパク質をコードする遺伝子が存在することです[6]。上述したように、新型コロナウイルスはRNAウイルスのなかでは大きなゲノムサイズをもっていて、それを維持するためにこのような修復酵素をもっているのではないかと考えられています。そうでないと、新型コロナウイルスとしてのアイデンティティーを失ってしまう危険性があったのでしょう。おおまかにいえば、新型コロナウイ

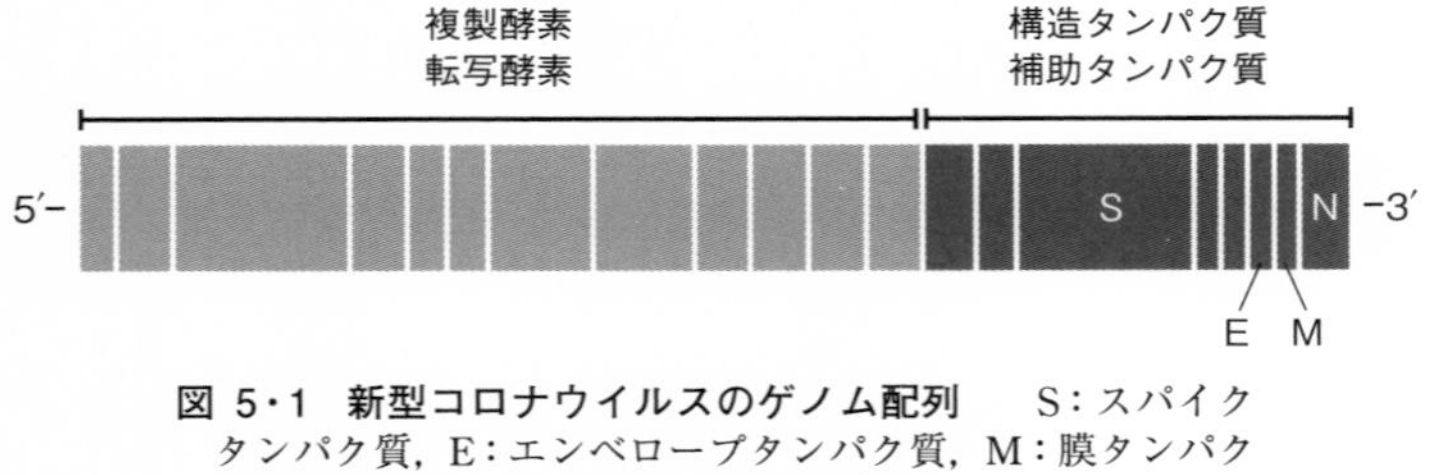

図 5・1 新型コロナウイルスのゲノム配列 S：スパイクタンパク質，E：エンベロープタンパク質，M：膜タンパク質，N：ヌクレオカプシドタンパク質．

ルスは「変異を許容している」といえるようです[7]。

われわれ人類は、このように割り切り、いわば居直ったような新型コロナウイルスに向き合わなければなりません。感染しても、宿主を「生かさず殺さず」、多くの感染者に対しては無症状にとどめて、警戒されることなく、感染を広めるという寝技のような手法を使います。しかし、いったん牙をむくと、重い肺炎や血管障害をひき起こして人を死に至らしめます。

幸い遺伝子ワクチンの技術が発達した今日、変異ウイルスを解析し、対応したワクチンを素早く作製できるという道があります。

第6章　ワクチンを補完する薬

1　抗ウイルス薬の歴史

人類を苦しめたペストや結核は細菌起源の病原体による感染症です。結核の予防にはＢＣＧがワクチンとして効果を発揮すると共に、ストレプトマイシンをはじめとする抗生物質が威力を発揮しました。その他の細菌性の感染症でも、ペニシリンをはじめとする抗生物質が決定的な効果を示しました。これらの抗菌薬は人類の寿命を延ばすのに大きく貢献したのです。細菌とヒトの細胞では代謝系が明確に異なり、体に害を与えないで細菌のみを殺す薬の開発は比較的容易でした。

一方のウイルスはどうでしょうか。ウイルスはちゃっかりとわれわれ宿主のシステムを拝借して増殖します。ですから、ウイルスの増殖を阻害する薬はわれわれの体にも害を及ぼすことが多いのです。このような理由から、抗ウイルス薬の開発は容易ではありませんでした。

画期的な抗ヘルペス薬

抗ヘルペス薬の開発の歴史をたどってみます(1)。最初に開発された抗ヘルペス薬はヘルペス性角膜炎には有効であることが証明されましたが、宿主にも影響してしまうため毒性が強く、局所投与に限られました。その後もいくつかの抗ウイルス薬が報告されていますが、ウイルスのみを標的とした真の意味での抗ウイルス薬の登場は一九七七年に開発された**アシクロビル**まで待たなければなりませんでした。この薬は単純ヘルペス感染症に有効で、毒性は低かったのです。

ヘルペスウイルスは帯状疱疹の原因となるウイルスで、小児期に水疱をつくる水痘（水疱瘡《みずぼうそう》ともいう）の原因ウイルスと同じです。このウイルスは水痘・帯状疱疹ウイルスとよばれます。水痘の予防には、水痘ワクチンによる予防が効果的で、二〇一四年一〇月より水痘ワクチンは定期接種となりました。大部分の人は子供のときに水痘にかかっており、水痘は治っていてもヘルペスウイルスは神経の中にじっと潜んでいます。高齢化して体力が落ち、免疫力が低下するとウイルスは神経細胞から増え始め、神経に沿って帯状の発疹を形成し、これが、帯状疱疹とよばれます。それだけにとどまらず、ときによっては、疼痛、失明、難聴の原因にもなります。ですから、帯状疱疹を発見したらなるべくはやく病院にいってアシクロビルの投与を受ける必要があります。

エイズ患者を救った抗エイズ薬

一方、HIVワクチンの開発は、逆転写酵素によりウイルスRNAから転写されたウイルスDNAが宿主のゲノムDNAに組込まれたり、その際に激しい遺伝子変異をしたりすることで、ワクチン開発は困難をきわめ、今日に至るまでワクチンは開発されていません。すでに述べましたが、筆者も、ワクチニアウイルスをベクターに用いたHIVのVVワクチンの開発を試みた一人でした。エイズのパンデミックから人類を救ったのは抗エイズ薬の開発でした。現在では、米国立衛生研究所（当時）の満屋裕明博士が開発したアジドチミジン（ＡＺＴ）をはじめとするいくつもの抗エイズ薬が存在します。それらを組合わせた併用療法が効を奏してエイズ患者は救われていま す。エイズの場合は、ワクチンに代わり薬が補完しているのです。

2　新型コロナウイルス感染症の治療薬

ワクチンにより集団免疫を高めて感染症パンデミックを収束に向かわせるという戦略は、理論的にも、経験的にも合理的です。しかし、有効なワクチンが開発されればすべてが解決するかということになると、決してそうではありません。ワクチンを接種しても感染するということは当然起こりうります。また、万一、ワクチン効果をかいくぐるような強力変異株が出現すれば打つ手はなくなります。ですから、パンデミックに際しては幅広い対応策を用意しておく必要があります。

マスクの着用、手洗い、密閉・密集・密接の回避などの公衆衛生的な配慮は常に必要です。それに加えて、新型コロナを発症してしまった人に対しては薬剤による治療が必要になります。現在新型コロナ感染症の治療薬として国内に使用されているおもな薬を表６・１に示します。[2,3] 国内で新型コロナ感染症に対して使用が承認されているのは、抗ウイルス薬のレムデシビルとステロイドのデキサメタゾン、抗炎症作用をもつバリシチニブであり、それ以外は適応外使用という扱いです。

(1) レムデシビル

レムデシビルは、もともとはエボラ出血熱の治療目的につくられた抗ウイルス薬で、ウイルスの複製に関与するＲＮＡポリメラーゼを阻害する効果があります。培養細胞に感染させた新型コロナウイルスに対して強い抗ウイルス効果が認められ、新型コロナの症状を抑えることが期待されています。海外での承認などを条件に審査の手続きなどを簡略化する「特例承認」が適用されて薬事承認に至りました。肝機能障害、腎機能障害などの副作用が指摘されています。

海外の例では、レムデシビル投与群は偽薬投与群（対照群）との比較で入院患者の回復を五日間早めた米国立アレルギー・感染症研究所主導の臨床試験結果があり、そ

表 6・1　新型コロナ感染症治療薬として国内で使用されているおもな薬
［参考資料 2, 3 より］

一般名	販売名（先発品）	製造販売元	薬　効	対象疾患
レムデシビル	ベクルリー	ギリアド・サイエンシズ	抗ウイルス薬	エボラ出血熱
デキサメタゾン	デカドロン	日医工など	ステロイド薬	重症感染症 間質性肺炎
バリシチニブ	オルミエント	日本イーライリリー	ヤヌスキナーゼ阻害薬	関節リウマチ
ファビピラビル	アビガン	富士フイルム富山化学	抗ウイルス薬	新型・再興型インフルエンザ
トシリズマブ	アクテムラ	中外製薬	抗IL-6受容体モノクローナル抗体	関節リウマチなど
ネルフィナビル	ビラセプト	日本たばこ産業	プロテアーゼ阻害薬	HIV感染症
イベルメクチン	ストロメクトール	MSD	駆虫薬	腸管糞線虫症 疥癬など

れをもとに世界約五〇カ国でレムデシビルが承認されています。日本では、この結果に基づいて特例承認が下りたわけです。一方、WHOが主導した臨床試験の中間結果では、レムデシビルを投与しても患者の入院期間や死亡率にほとんど影響がなかったとされ、WHOはレムデシビルの使用を推奨しないとのガイドラインを公表しました。

(2) ファビピラビル(アビガン)　一般には、この薬はアビガンという商品名でよく知られており、もともとは、富士フイルム富山化学で抗インフルエンザ薬として開発されました。これもRNAポリメラーゼを阻害する抗ウイルス薬です。動物実験で催奇形性が観察されたため、従来の薬が効かない場合を見越して制限付きで承認されていた薬です。

富士フイルム富山化学は、新型コロナウイルス感染症へのアビガンの効き目を調べるために、重篤には至っていない新型コロナ肺炎の患者一五六人を対象に、第Ⅲ相臨床試験を行いました。症状が軽快に向かいウイルスの陰性化までにかかる時間は、アビガン投与群で一一・九日、対照群で約一四・七日であったとのことです。二〇二〇年一〇月、これらの結果に基づき、同社はアビガンの新型コロナウイルス感染症への適応拡大を申請しましたが、厚生労働省の専門家部会は同年一二月二一日、「現時点で得られたデータから有効性を明確に判断するのは困難」として承認を見送りました。臨床試験が単盲検、すなわち、患者はアビガンと偽薬のいずれが投与されたかわからない条件下であったものの、医師はアビガンが投与された患者と偽薬投与の患者に関する知識をもっているという、不十分な条件下で行われたことの影響や、結果の臨床的な意義が議論になりました。現在、海外で実施中の臨床試験結果が提出され次第、改めて審議することになっています。

(3) デキサメタゾン　この薬は、ステロイド（合成副腎皮質ホルモン）で、抗炎症作用、抗アレルギー作用、免疫抑制作用などがあります。一九六〇年代から現在に至るまでさまざまな疾患に広く使われてきました。免疫を抑制するので、ウイルス感染症である新型コロナに使用されるのは、一見不思議にもみえます。実際のところウイルス感染症への適用はこれまで多くはありませんでした。しかし、新型コロナでは、**サイトカインストーム**とよばれる免疫反応の暴走が起こり、そのために患者はしばしば重症に陥ることがあります。サイトカインストームでは、免疫反応に伴う炎症反応によりサイトカインという免疫に関連するタンパク質の血中濃度が急上昇し、そのために、好中球の活性化、血液凝固、血管拡張などを介して、ショック症状や、血管に血栓ができて多臓器不全に陥ることもあります。新型コロナ感染症が重症化すると肺血栓や脳血栓により死亡するケースも出てきます。抗炎症薬であるデキサメタゾンにはこの炎症反応を抑制する効果があるのです。

厚生労働省は二〇二〇年七月一七日、「新型コロナウイルス感染症診療の手引き」を改訂し、このデキサメタゾンを「日本国内で承認されている医薬品」として追記しました。そこには、英国で実施されたランダム化試験「RECOVERY」の結果が紹介されています。デキサメタゾン投与群二一〇四人、対照群四三二一人に分け、治療効果を比較しました。治療開始二八日後の死亡率は対照群二四・六％（一〇六五例）、デキサメタゾン投与群二一・六％（四五四例）で、有意に死亡率を低下させました。人工呼吸器を装着するなど酸素投与を受けている患者では死亡率を減少させました。一方で、酸素投与の必要のない患者では、死亡率に有意差を認められませんでした。すなわち、重症患者では、身を守るはずの免疫反応の暴走により命を落とすことが多く、そのために、デキサメタゾンのような抗炎症薬投与で命を救うことができることが明らかになったのです。

薬物治療の効果

厚生労働省の資料「新型コロナウイルス感染症の〝いま〟に関する一一の知識[4]」には、「こうした治療法の確立もあり、新型コロナウイルス感染症で入院した方が死亡する割合は低くなっています。」とあり、注目すべきです。「こうした治療法の確立」には、抗ウイ

表 6・2　入院時重症患者に対する薬物治療の状況と死亡する割合†
［参考資料 4 より］

		2020 年 5 月 31 日までに入院	2020 年 6 月 1 日から 12 月 31 日までに入院
薬物治療の状況（投与率）	レムデシビル	1.3 %	39.2 %
	ステロイド薬	26.0 %	74.1 %
入院後に死亡する割合（死亡率）	0〜29 歳	1.9 %	0.0 %
	30〜49 歳	1.3 %	0.6 %
	50〜69 歳	9.1 %	3.7 %
	70 歳〜	30.0 %	17.3 %
	全年齢	17.1 %	9.8 %

† 厚生労働科学研究「COVID－19に関するレジストリ研究」（研究代表者：大曲貴夫）において，2021年2月15日までにレジストリに登録のあった入院症例を解析.

ルス薬レムデシビルとステロイド薬による治療法も含まれます。表６・２に入院時重症だった患者に薬物治療をほどこした割合と死亡率を示します。

二〇二〇年六月以降に重症で入院した症例（右）と、それ以前に重症で入院した症例（左）を比較すると、レムデシビルとステロイド薬投与を受ける割合は、時間の経過と共に高くなっています。さらに、入院後に死亡する割合は各年代で下がっています。どの年代でも死亡率は減少していますが、五〇歳から六九歳では特に顕著です。ですから、レムデシビルとステロイド薬の併用療法は、入院時の重症例の死亡を抑制するのに明らかな効果があったと結論されます。

抗体医薬

新型コロナの治療薬としては、抗体医薬もあります。これは、ワクチンの延長上にあるような薬で、ワクチンの代わりに、それを接種したときに体内につくられる中和抗体そのものを医薬品として使用します。以下、東京理科大学名誉教授 千葉 丈博士の緊急寄稿「新型コロナの予防にも治療にも期待される中和抗体医薬」(5)を中心に紹介します。

このような中和抗体は、新型コロナの患者の感染初期に投与することで、発症や重症化を防止するだけでなく、感染前に投与することで、感染を予防することもできると期待されています。世界最速で中和抗体の開発を進めたのは米国イーライリリー社などのグループです。同社はカナダアブセラ・バイオロジクス社、米国立衛生研究所傘下の米国立アレルギー・感染症研究所ワクチン研究センターと共同で中和抗体を開発しました。その中の一つであるバムラニビマブ（LY-CoV555）は、米国で最初に新型コロナ感染症から回復した患者の血中の抗体を産生するB細胞から抗体遺伝子をクローニングし、それをもとにわずか三カ月で作製にこぎ着けた中和抗体です。イーライリリー社は、この抗体および類似の抗体エテセビマブ（LY-CoV016）の二剤の併用投与により、ハイリスク患者の重症化が七〇％低減されたと発表しました。

一方、二〇二一年三月三一日、アストラゼネカ社も、同社が開発中の新型コロナの抗体医薬候補AZD7442の臨床試験を日本国内で三月に開始したことを発表しました。

抗体医薬は新型コロナ感染症の治療に威力を発揮することが期待されていますが、価格が高いのが難点と考えられています。古典的な方法ですがカナダでも日本[6]でも回復期の患者から得られた血漿を投与する臨床試験が開始されています。このような療法は安価であるにもかかわらず、重篤な患者を救命できる可能性があります。ただし、血漿にＨＩＶやＣ型肝炎ウイルスなどの有害なウイルスにより汚染されていないことを厳しくチェックすることが必須です。

第7章　動物由来のウイルスとその遺伝子ワクチン

この章では、動物・ヒトとウイルスの関係、そして動物の遺伝子ワクチンについて紹介します。

かつて、狩猟と採集で生活していた人類は、シカ、イノシシなどの野生動物を狩猟して食用にしていました。その後、約一万五〇〇〇年前に、ユーラシア大陸のどこかで、氷河期の狩猟採集民がタイリクオオカミを手なずけることに成功して、イヌが生まれました[1]。また、ネコやウシなどの多くの動物が家畜化しました。一方、人類のまわりには多くの野生動物が存在していました。家畜や野生動物のウイルスはヒトの感染症に深く関わってきたのです。

1　動物とヒトとウイルスの関係

「**エマージング感染症**」という言葉がありますが、これは、最近になって新たに出現した感染症（新興感染症）、または再出現した感染症（再興感染症）を意味します。エマージング感染症の恐ろしさを知らせるきっかけとなったのはエイズです。エイズの最初の症例は、米国カリフォルニア大学ロサンゼルス校のM・S・ゴットリーブ博士らによって、米国立疾病予防管理センター（ＣＤＣ）の一九八一年六月五日付の週刊誌『*Morbidity and Mortality Weekly Report*（*MMWR*）』に報告されました。現在、エマージング感染症を監視する情報ネットワークである「プロメド（ＰｒｏＭＥＤ）」という組織が設立されています。今回の新型コロナウイルス感染症を含めて、エマージング感染症は非常に重要な課題であることがわかってきましたが、その特徴の一つは動物に起源をもつものが多いことです。

新型コロナウイルス感染症はその例の一つです。約一万年以上も前から各種動物と関わってきたコロナウイルスと、哺乳動物、鳥類との関連をみてみましょう。

最初のコロナウイルスの発見となったのは、米国ノースダコタ州における孵化二、三日後のニワトリのヒナに見つかった呼吸器疾患でした。このヒナの気管支の粘液を健康なヒナに接種すると、容易に病気を移すことができました。これがウイルスによる病気であることは、一九三七年、F・R・ボーディットとC・D・ハドソンにより明らかにされました。これが最初に発見されたコロナウイルスでした。

コロナウイルスはアルファ、ベータ、ガンマ、シグマの四種類に分けられます。いずれも、紀元前三〇〇〇年から紀元前二四〇〇年にルーツをもつようです。そのうち、ヒトには七種が感染していると考えられています。アルファコロナウイルスでは風邪のウイルス、ベータコロナウイルスでは風邪のウイルスのほかに、SARS、MERS、それに今回の新型コロナウイルスが含まれます。アルファ、ベータコロナウイルスはいずれもコウモリに由来しますが、ベータコロナウイルスはハクビシンも宿主になっています。ですから、新型コロナウイルスの起源については、コウモリやハクビシンが議論の対象になりました（図7・1）。

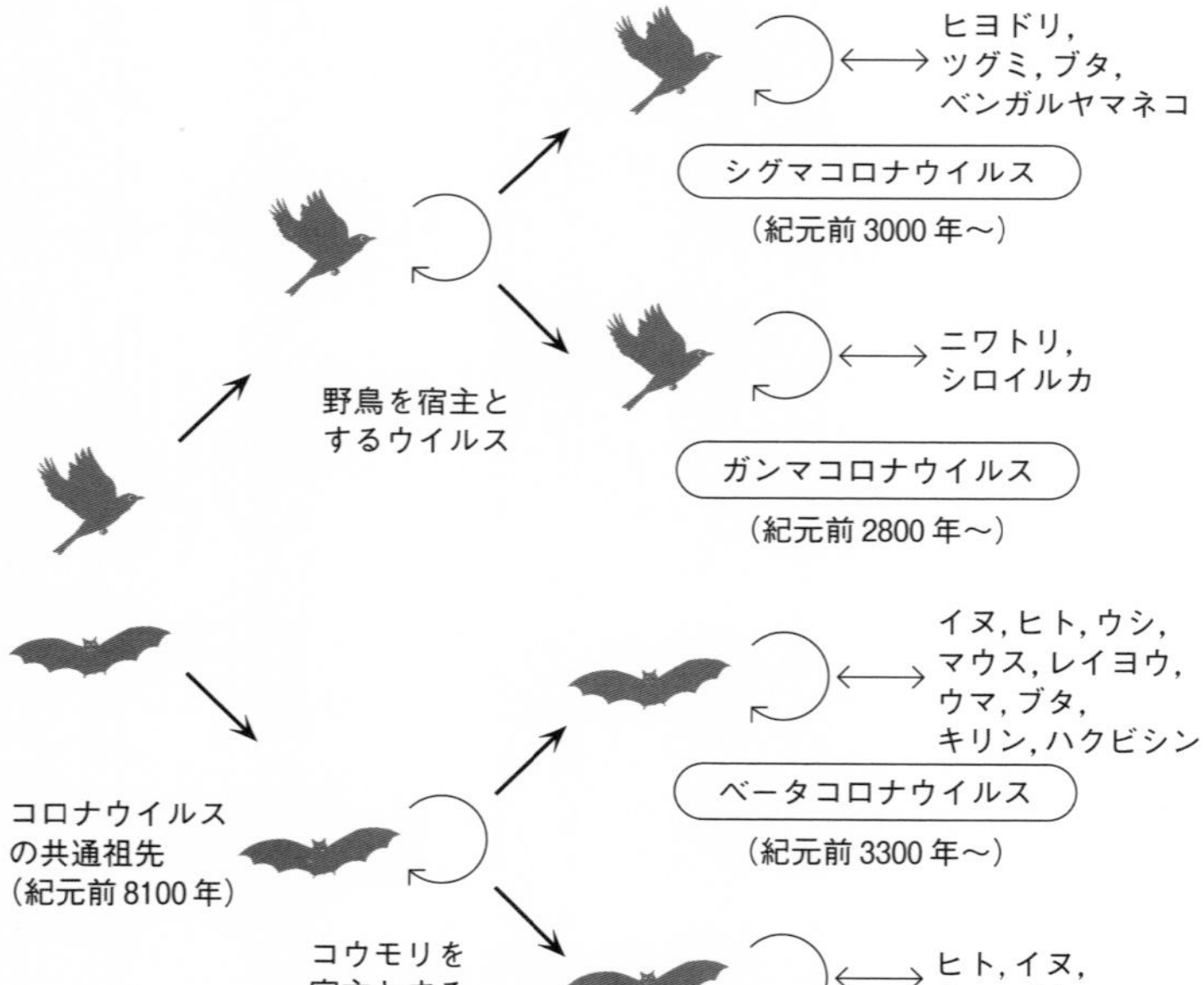

図 7・1 コロナウイルスの分化［山内一也,「ウイルスの世紀――なぜ繰り返し出現するのか」, みすず書房 (2020) より］

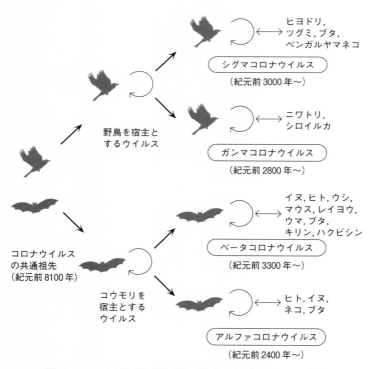

しかし、将来恐ろしいパンデミックの原因となる可能性のあるのは、高病原性トリインフルエンザです。たとえば、東南アジアなどでヒトへの感染が知られているＨ５Ｎ１型のトリインフルエンザウイルスがヒトからヒトへと感染する能力を獲得した場合、これによりひき起こされる感染症は高病原性の新型インフルエンザということになります。その場合の発病者数および死亡者数が推定されています。ＷＨＯの推定では、世界の発病者数は数億人以上、死亡者数は数百万人と推定されています(2)。高病原性インフルエンザウイルスは、スペイン風邪で猛威をふるいましたが、新たなパンデミックの原因になることが恐れられています。

問題は野生動物に限りません。最近はペットブームで飼育されているイヌは八五〇〇万頭程度、ネコは九七〇〇万頭程度に達しています。それ以外にも、トリやネズミなどさまざまな動物がペットとして飼育されています。狂犬病の予防ワクチンの接種は義務化されていますが、イヌジステンパーなどを含む混合ワクチンの接種も行われています。ネコにもいろいろな予防ワクチンがあり、たとえば、免疫不全を起こすネコエイズワクチンや狂犬病ワクチンなどもあります。イヌと同様混合ワクチンも利用できます。いずれにしても、このようなペットが、鳥類を含めて、新たな感染症の原因ないしその仲介者になる危険性は排除できません。

狂犬病に例をとると、森の野生動物であるキツネやオオカミに狂犬病が流行することは人間にとって大変な脅威になることが容易に想像できます。現在の流行地域は、アジア、南米、アフリカで、全世界で、狂犬病による死者は五万人以上にのぼるとのことです。直接人間が感染動物に噛まれて狂犬病に感染する恐れもありますが、イヌやネコ、あるいはウシなどの家畜が感染する恐れもあります。そのために、第1章で紹介したように、ヘリコプターから狂犬病のVVワクチンの入った餌を森に撒《ま》いて野生のキツネなどにワクチン接種するという荒っぽい手段が米国や欧州でとられ、それがかなりの効果をもたらしたわけです。

狂犬病は、発病すると水などを恐れるようになり別名恐水症ともよばれ、治療方法がなくほぼ一〇〇％が死亡するというきわめて悲惨な感染症です。噛まれるとウイルスは神経を伝って脳に到達しますが、その速度は日に数ミリメートルから数十ミリメートルであるといわれています。そのために、すでに感染していてもウイルスが脳に至る前に、早期にワクチンを接種することで発症を防ぐことが可能であることも、このワクチンを一八八五年に開発したフランスのルイ・パスツールが報告しています。

2　ヒトに先行した動物のVVワクチン

ワクチニアウイルスをベクターに用いたVVワクチンの開発研究は、すでに述べましたように、ウシ白血病ウイルスをターゲットとして、また、山内一也博士との共同研究で、牛疫をターゲットとして筆者らのグループにより一九八〇年ころより行われています。米国や欧州で実施された狂犬病ＶＶワクチン接種は、キツネなどの野生の狂犬病に対する防御で目覚ましい成果をあげたこともすでに述べました。このように、ＶＶワクチンをはじめとする遺伝子ワクチン開発は、家畜ワクチンの分野で先行しました。

ニワトリＶＶワクチンの商業化

一九九四年に鶏痘《けいとう》ウイルスベクターを用いた組換えニューカッスル病生ワクチンが米国で製造承認されました(3)。ヒトで新型コロナウイルス感染症の予防にＶＶワクチンの接種が開始されたのは、二〇二〇年ですから、動物のＶＶワクチンの実用化は二五年以上早く先行したことになります。鶏痘とは鶏痘ウイルス感染を原因とする鳥類の感染症です。このワクチンは接種することで、鶏痘とニューカッスル病の二つを予防できることになります。鶏痘ウイルスはポックスウイルス科に属するＤＮＡウイルスで、天然痘ウイルスと同じ仲間です。鶏痘は日本では家畜伝染病予防法において届出伝染病に指定されており、ニワトリ、ウズラなどに感染します。遺伝子操作による組換え生ワクチンの研究は、ワクチニアウイルスと同じ仲間のポックスウイルスをベクターとして用いたＶＶワクチンで始まりました。

ポックスウイルスベクターは一過性に増殖し短期間に強い免疫を誘導した後は、体内に残留せず消失するので安全であると考えられました。このベクターを用いて作製されたＶＶワクチンは、皮膚で増殖して液性免疫と細胞性免疫を誘導します。このウイルスベクターはゲノムサイズが大きいために、筆者らが用いたワクチニアウイルスベクターと同じように、外来遺伝子の挿入部位がたくさんあり、そのために多価ワクチンの作製が可能です。ニワトリでは、ポックスウイルスベクター以外に、ヘルペスウイルスベクターやアデノウイルスベクターなどがありますがその詳細は省きます。

「遺伝子組換え」というハードル

実は筆者らが、ワクチニアウイルスをベクターに用いたＶＶワクチンの開発研究に、国立予防衛生研究所（現 感染症研究所）で着手した一九八〇年ころには、大変なハードルがありましたし、基本的にはそれは現在も存在しています。

このプロジェクトを始めるにあたり、当時のウイルス・リケッチア部の大谷 明部長に相談しました。そのときに言われたのは、遺伝子組換えウイルスの作製やその動物実験には、環境中への拡散防止を徹底する厳しい規制があることでした。遺伝子組換えにより、いわば新種のウイルスを作製し、それを動物に接種して試験することには懸念があったためです。この忠告はあたっており、筆者らはその後この規制に苦しめられることになりました。岩手大学農学部（大島寛一教授、岡田幸助助教授、当時）のもとで行われた、ウシ白血病ウイルスワクチンの野外接種実験（第３章コラム参照）が思い出されます。実験は、山の中の隔離された施設で行い、糞尿には組換えウイルスが排出されているので、すべてオートクレーブで滅菌後廃棄しました。

現在は「遺伝子組換え生物等の使用等の規制による生物の多様性の確保に関する法律」（カルタヘナ法）があり、遺伝子組換えウイルスを用いる場合は生物多様性に影響が生じないよう措置を講ずる必要があります。新型コロナ遺伝子ワクチンの開発においても、ＶＶワクチンの場合、この法律に則って遺伝子組換えウイルスの環境への拡散防止に対応し、適切な措置を講ずる必要があります。

コロナ禍で必要とされた遺伝子ワクチン

動物ワクチンでＶＶワクチンは先行しましたが、二〇〇〇年に出された「家畜用次世代ワクチン開発の現状(3)」では、ＶＶワクチンについて「他の病原体の感染防御抗原も同時に発現させた多価ワクチンは省力化と動物に対する安全性の点で優れているが、現在までのところその予防効果は現行生ワクチンには及ばない。しかし将来、高い予防効果を導入する技術が開発されれば最も期待できる次世代ワクチンとなろう。」と述べています。ですから、商業用の動物ＶＶワクチンの開発は必ずしもあまいものではなかったことがうかがえます。一方、コロナ禍以前の二〇一七年に出されたヒトに対するＶＶワクチン開発に関する報告書には、(4)「組換えウイルスワクチンによる予防の対象となる感染症は、公衆衛生上ワクチンで予防する必要性があり、従来の不活化ワクチンや生ワクチンではなく組換えウイルスワクチンとしての開発の必要性及び理由を説明できるもの等が想定される。」とあります。従来のワクチンとは異なる視点で有効性や安全性が多岐にわたって慎重に検討され、そのリスクに見合うワクチンの対象は人類に脅威を与える病原体、従来のワクチンでは代替できない病原体という傾向があったことがうかがえます。実際、新型コロナワクチンに先駆けてヒトに対して初めて実用化されたＶＶワクチンは、エボラ出血熱に対するものでした。そして新型コロナが現れました。

ひるがえって新型コロナのヒト用ＶＶワクチンでは、アストラゼネカ社のワクチン、ロシアのスプートニクＶ、ジョンソン＆ジョンソンのワクチン、中国カンシノ社のワクチンなど続々と登場してきました。筆者がＶＶワクチンを手掛けたころに比べると、隔世の感があります。

そもそも、遺伝子ワクチンというと一見恐ろしそうにきこえますが、自然界では植物でも動物でも、生殖に際しては常時遺伝子組換えを生じています。ｍＲＮＡワクチンにもＶＶワクチンにも、遺伝子であるということに直接関連した危険性は低いと考えられます。これから遺伝子ワクチンの有効性や安全性に関する膨大なデータが得られることでしょう。その最終評価は、ワクチン接種を受けるおそらく何億人もの人々の結果からなされるでしょう。

第8章　パンデミックと国家安全保障

第1章「過去のパンデミックの克服と教訓」では、WHO主導による天然痘の根絶およびFAO主導による牛疫の根絶という、人類が誇ることのできる二つの偉業について述べました。いずれもが、国際連携により達成されたことは強調しておく必要があります。いうまでもなく、国際連携は情報公開の基盤の上に成り立ちます。ということは、情報操作・情報隠蔽は国際連携とは真逆な行動になります。しかし、パンデミックでは、往々にして情報操作・情報隠蔽がまかりとおります。そしてパンデミックは国家の安全保障と結びついています。これがこの章の主題です。

1　スペイン風邪における情報操作

米軍関係者のあいだでは、二〇一九年末から、中国で新型インフルエンザらしき病気が発生しているらしいとの情報が取り沙汰されていたといいます(1)。しかし、米国政府がこの事態に目を向け始めたのは、中国国内でコロナウイルスの感染が拡大し始めた、翌年一月下旬の春節のあたりでした。新型コロナウイルス対策に対する米国政府の反応は遅く、感染症対策専門家や軍関係者たちからは「一九一八年のスペイン風邪の事例と教訓を思い起こし、素早く本格的な対策を実施しなければ、米国内でも新型コロナウイルスの流行を招きかねない。」という懸念の声があがっていたとのことです(1)。それから一年少し経た二〇二一年二月二二日のジョンズ・ホプキンス大学の集計では、米国内の死者は五〇万人を超えており、第二次世界大戦の死者四〇万五千人を超えています。

米軍関係者や感染症対策専門家たちがスペイン風邪の事例を取上げるのには理由がありました。スペイン風邪のパンデミックは、すでに第1章でも述べましたが、第一次世界大戦中に米国や欧州で起こったインフルエンザの大流行で、世界全体でみると感染者総数は約五億人、死亡者数は五〇〇〇万人以上と推定される大パンデミックになったからです。ここまで感染を拡大させた原因の一つとして、戦時下における情報操作があると考えられます。

当時を振り返ってみましょう。一九一七年四月、米国政府は第一次世界大戦への参戦を決定しました。しかし、一九一八年三月、米国内でインフルエンザ様の症状を呈す病気が発生し始めました。カンザス州の米陸軍キャンプ・ファンストンで一〇〇人以上の兵士が、数日後には五〇〇人以上の兵士がこの病気に感染したと記録されています。これが、米国内でのスペイン風邪の大規模感染発生の最初のケースとなりました。スペイン風邪の起源ははっきりしませんが、米国である可能性が高いといわれています。起源の特定を難しくしている原因の一つは、当時の政府や軍による情報隠蔽・情報操作でした。戦時下において、米国も戦場となった欧州諸国も、情報統制を敷き、戦局に不利な情報を隠し、また、国民の戦意高揚を促す必要がありました。そのような中でパンデミックは隠蔽されたのです。これにより、米軍キャンプ内で発生したインフルエンザはあっという間に米国のキャンプ間に広がり、欧州へと拡大しパンデミックを招いたのでしょう。さらに第二波、第三波の大流行を招きました。第一波に比べて第二波は致死性が非常に高く、死者が大幅に増加することになりました。

皮肉なことに、第一次世界大戦に参加しなかったスペインではインフルエンザ大流行の情報を正確に公表しました。そのため、インフルエンザ大流行のニュースは、スペインが発信源となってしまったので、「スペイン風邪」とよばれるようになったのです。

2 中国による新型コロナ感染症の隠蔽

今回の新型コロナ感染症の初期はどのような対応がなされたのでしょうか。新型コロナウイルスによる肺炎の発生が最初に報告されたのは、中華人民共和国湖北省武漢市において、二〇一九年一二月のことでした。ここで、武漢市中心医院の眼科医であり、武漢においていちはやくこの肺炎の広がりに気づいて警鐘をならし、その後自らも感染して亡くなった李文亮医師の動きを追ってみましょう。(2) 二〇一九年一二月、李医師は、勤務先の病院でSARSに似たウイルスにより肺炎がひき起こされる症例に気づき、大学の同級生グループのSNSチャットで「華南海鮮市場で七人のSARS感染者が確認された。」と発信しました。SARSは、二〇〇三年にエピデミックをひき起こしたウイルスです。患者は、李医師の勤務先に隔離されていたということです。このとき、李医師はこの病気がまったく新しいウイルスによるものだとは知りませんでした。その月末の一二月三一日に中国はＷＨＯの中国事務所へ新型肺炎が発生していると初めて報告しています。

明くる二〇二〇年一月三日、李医師は武漢市公安局に呼び出され、「社会の秩序を著しく乱す」「虚偽の発言をした」としてその旨を告発する書簡への署名を求められ、訓戒処分を受けました。その後、勤務先の病院で自身もコロナウイルスに感染、二〇二〇年一月一二日から入院し、一月末に病床からＳＮＳを通じて署名した書簡をアップロードし（図８・１）、そのときの様子を発信しました。その後病状は悪化し二〇二〇年二月に亡くなりました。

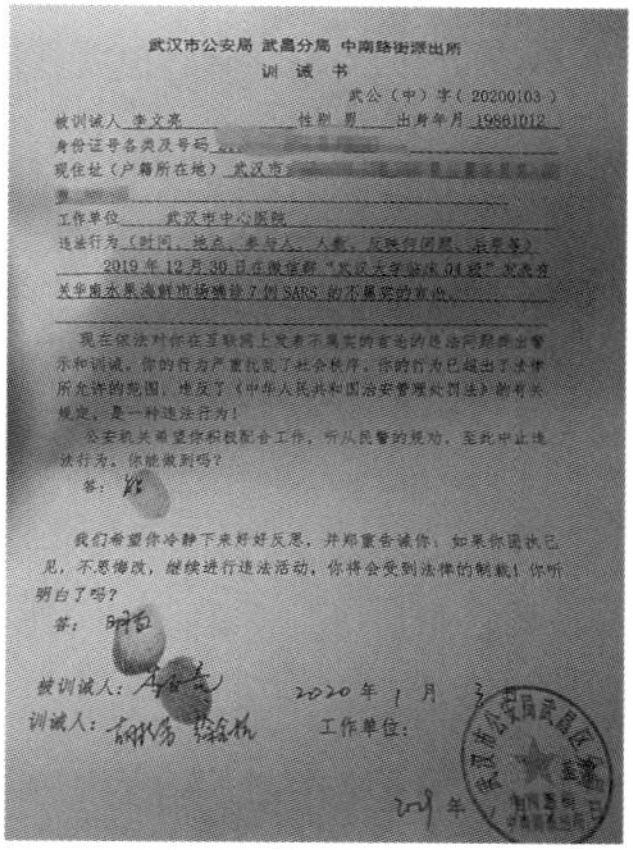
武汉市公安局 武昌分局 中南路街派出所
训 诫 书
武公（中）字（20200103）
被训诫人 李文亮 性别 男 出身年月 19861012
身份证号各类及号码
现住址（户籍所在地） 武汉市
工作单位 武汉市中心医院
违法行为（时间、地点、参与人、人数、反映何问题、后果等）
2019 年 12 月 30 日在微信群 "武汉大学临床 04 级" 发表有关华南水果海鲜市场确诊 7 例 SARS 的不属实的言论。
现在依法对你在互联网上发表不属实的言论的违法问题提出警示和训诫。你的行为严重扰乱了社会秩序。你的行为已超出了法律所允许的范围，违反了《中华人民共和国治安管理处罚法》的有关规定，是一种违法行为！
公安机关希望你积极配合工作，听从民警的规劝，至此中止违法行为。你能做到吗？
答：能
我们希望你冷静下来好好反思，并郑重告诫你：如果你固执己见，不思悔改，继续进行违法活动，你将会受到法律的制裁！你听明白了吗？
答：明白
被训诫人：李文亮　2020 年 1 月 3
训诫人：　工作单位：

図 8・1　李文亮医師が武漢市公安局に求められて署名した訓戒書
［本人の SNS より］

一月最初の数週間、武漢市の当局者は、新型コロナウイルスに感染した動物に接触した人にのみ感染すると主張し、ヒトからヒトへの感染を否定していました。

この李医師に関する一連のながれは、今回の新型コロナウイルス感染症に対する中国の態度を象徴しています。感染初期における情報操作・情報隠蔽が初動体制の遅れと感染拡大につながりました。

3　さまよえるＷＨＯ

ＷＨＯは天然痘根絶において主導的な役割を果たしました。当時は米ソ冷戦のさなかにあったことは述べました。実は、ソ連はそれに先立ってＷＨＯから脱退していましたが、フルシチョフが首相に就くと彼はソ連をこの時期にＷＨＯに復帰させ、ソ連も天然痘計画に協力したのです。ソ連は、天然痘ワクチンの供給にも協力しました。

しかし今回ＷＨＯは、上述のような中国の見解に配慮して、二〇二〇年一月二三日に国際的な緊急事態宣言の発表を控えながらもその一週間後に一転して宣言し、二月二四日にパンデミックとはよばないと発表しながら三月一一日にパンデミックと発表するなど、発言は定まらず、当初は明らかに中国の意をくみ、新型コロナウイルス感染症に対して、前向きな対策をとりませんでした。ＷＨＯの対策は後手にまわりました。このような態度は、天然痘根絶で主導的な貢献をしたＷＨＯとは対照的でした。以上のような背景もあり、米国のトランプ政権と習近平の中国政府との関係は、新型コロナウイルス感染症でも鋭く対立することになりました。ＷＨＯは、中国に影響されて、いわば「さまよった」のです(3)。なお米国は、トランプ政権ではＷＨＯから脱退しましたが、バイデン政権になり復帰しました。

象徴的だったのは台湾です。台湾はオブザーバーとしてもＷＨＯへの参加は許されませんでしたが、一連の独自の対策をとり、世界の中でも最も効率よく、新型コロナのパンデミックを回避しました。

新型コロナ感染症で目立ったのは、中国による情報操作・情報隠蔽および、大国間の利害の衝突です。今後も、新型トリインフルエンザをはじめとする新たな感染症のパンデミックが起こる危険性があり、その対処は大きな課題として残ります。

4　ワクチンと国家の安全保障

スペイン風邪の項目で述べましたように、パンデミックは国の安全保障と深く関係し、それは、特に戦時下でいえることです。しかし、平時においても同様であることは、新型コロナウイルス感染症に際して中国がとった情報操作・情報隠蔽でみてとれます。そもそもパンデミックが国民の一人一人の生活と生命の保障に深く関わっていることは、われわれは今回の新型コロナウイルス感染症のパンデミックで思い知らされました。裏返すと、感染症対策、とりわけワクチンは国家安全保障の要《かなめ》であるといえるでしょう（本章コラム「米国のとったワープ・スピード作戦」も参照）。

日本におけるワクチンの開発状況はどうでしょうか。残念ながら、遺伝子ワクチンのどれをとっても主導権は海外の企業にあり、日本はその供給などにおいて、外国企業に頼らざるを得ない状況にあります。その原因を考えてみましょう。

歴史的にみて、日本のワクチンにおける研究能力、開発能力などは劣っていたわけではありません。たとえば水痘ワクチンがあります。水痘とは、いわゆる「水疱瘡《みずぼうそう》」のことで、水痘・帯状疱疹ウイルスによってひき起こされる発疹性の病気です。おもに子供の病気で、九歳以下での発症が九〇％以上を占めます。このウイルスはヘルペスウイルスの一種で、治った後もウイルスは神経細胞の中でじっとしていて、高齢化して免疫力がおとろえたりすると、発疹が帯状に出て、いわゆる帯状疱疹という状態になります。予防には水痘ワクチンが有効で、生後三六カ月までに接種します。また、高齢になってから水痘ワクチンを接種することで、帯状疱疹を予防したり、軽症ですませたりすることができます。この貴重なワクチンを開発したのは大阪大学名誉教授 高橋理明博士です。しかし残念ながら、水痘ワクチンのような生ワクチンやインフルエンザワクチンのような不活化ワクチンといった従来のワクチンの開発基盤はありましたが、今回台頭してきた遺伝子ワクチンの開発基盤は育っていませんでした。

新型コロナウイルスワクチンの国内開発状況を一覧表でみてみましょう（表８・１）。この中では、①の塩野義製薬、感染症研究所、ＵＭＮファーマが、二〇二〇年一二月に、第Ⅰ／Ⅱ相試験を開始しています。これは、遺伝子組換え技術で作製したウイルスタンパク質を使用した、成分ワクチンです。また、②の第一三共、東京大学医科学研究所がｍＲＮＡワクチンの、④のＫＭバイオロジクス、東京大学医科学研究所、感染症研究所、医薬基盤研究所が不活化ワクチンの、第Ⅰ／Ⅱ相試験を開始しました。③のアンジェス、大阪大学、タカラバイオが開発しているのはDNAワクチンです。第Ⅰ／Ⅱ相の試験、あるいは第Ⅱ／Ⅲ相試験を開始した段階です。すでにワクチン接種が実施されている欧米、ロシア、中国に比べると明らかに開発の遅れが目立ちます。

理由としては、まず、研究費が少ないことが指摘されています。ワクチン開発や臨床試験には莫大な費用が必要です。日本では過去にワクチンによる副反応の問題があり、製薬企業やワクチンメーカーがワクチン開発に消極的なことも指摘されます。また、遺伝子ワクチンのような新たな開発基盤を育てるには製薬企業だけで

表 8・1　国内新型コロナウイルスワクチンの開発状況†
［厚生労働省ホームページ「ワクチン開発と見通し」より］

開発企業・アカデミア	種　類	取組み状況
① 塩野義製薬 感染症研究所/ UMN ファーマ	組換えタンパク質ワクチン	第Ⅰ/Ⅱ相試験を開始 (2020年12月)
② 第一三共/ 東京大学医科学研究所	mRNA ワクチン	第Ⅰ/Ⅱ相試験を開始 (2021年3月)
③ アンジェス/ 大阪大学/ タカラバイオ	DNA ワクチン	第Ⅰ/Ⅱ相試験を開始 (大阪市立大学，大阪大学) 第Ⅱ/Ⅲ相試験を開始 (東京・大阪の8施設)
④ KM バイオロジクス/ 東京大学医科学研究所/ 感染症研究所/ 医薬基盤研究所	不活化ワクチン	第Ⅰ/Ⅱ相試験を開始 (2021年3月)

† 2021年3月作成.

なく国や学術機関との連携が必要でしょう。日本は過去にワクチンの開発実績があり、研究レベルも高いのです。国民の生命を左右し、また、国の安全にもかかわるワクチン開発で大きく後れをとっていることは残念なことで、国民全体が対策を考える時期にきているのではないでしょうか。

5 ワクチンによるバイオテロ対策

ワクチンと国家安全保障との関連で忘れてはいけないことの一つに、バイオテロの危険性があります(4)。

二〇〇一年九月一一日、米国で起こった同時多発テロは、米国ばかりでなく世界中に衝撃をあたえました。筆者もたまたまテレビで中継をみていましたが、世界貿易センタービルに旅客機が激突するさまはいまだに脳裏を離れません。米国はその後、テロに対してさまざまな軍事的な手を打ったのですが、その一つにバイオテロ対策がありました。

バイオテロの手段として使われる可能性の病原体は複数考えられるのですが、なかでも天然痘ウイルスと炭疽菌がその最右翼でした。米軍ではバイオテロに備えて、緊急の対応にあたる医療関係者らの約五〇万人に天然痘ワクチンを接種する計画を明らかにしました。当時米国で接種に用いることのできたワクチンには多種多様なワクチニアウイルスが含まれていました。そこで米国では、新たに設立されたアカンビス社により、一種類のウイルス株に由来するワクチンを作製させたのです。しかし、作製されたワクチンには心筋炎などの重篤な副反応をひき起こすという問題が生じました。このような状況下で、ＷＨＯも天然痘ワクチンの開発に関心をもち始めました。そこで浮かび上がってきたのは、第2章でも紹介した日本LC16m8株でした。橋爪壮博士が開発した天然痘生ワクチンLC16m8株は、厚生省（当時）から製造許可が下りたのは一九七五年でしたが、皮肉にも天然痘ワクチンの接種が廃止された一九七六年のわずか一年前のことでした。そのため、このワクチンは実用化されることはありませんでしたが、バイオテロ対策のために復活することになりました。

LC16m8株は、今日でもわが国のバイオテロ対策の国家備蓄ワクチンとして蓄えられています。ワクチンは明らかに国家安全保障のための重要な手段なのです。

コラム　米国のとった「ワープ・スピード作戦」

ファイザー社、モデルナ社、アストラゼネカ社といった製薬会社は、驚くべきスピードで新型コロナワクチンの実用化を実現しました。その背景には、米国政府が二〇二〇年五月より主導した「ワープ・スピード作戦」がありました。

この作戦は、「新型コロナウイルスの診断薬・治療薬・ワクチンの開発・生産・供給」を加速させることを目標とした米国の官民連携です。米国の保健福祉省や傘下の疾病予防管理センター（CDC）、食品医薬品局（FDA）、国立衛生研究所などに加え、国防総省や退役軍人省、農務省やエネルギー省、そして民間企業を含めた横断的なプロジェクトになっています。

二〇二一年一月までに三億回分のワクチン供給を目指し、財源は「コロナウイルス支援・救済・経済安全保障法」における補正予算で約一〇〇億ドル（約一兆七〇〇〇億円）が確保され、自国他国を問わずに製薬企業のワクチン開発を援助し、自国のワクチン確保に動きました。

米国が、新興感染症への対策、とりわけワクチンを国家安全保障の要として重視していることを示しています。

中国やロシアも独自に自国のワクチンを開発し、輸出を始めています。「ワクチン外交」ともよばれていますが、これも安全保障の一環といえるでしょう。

おわりに　次のパンデミックへの備え

わが国でのワクチン接種も本格的になり、トンネルの先に明かりが見え始めました。しかし、その先にあるのは平坦な平野ではなく、険しい山岳地帯であったり、新たな長いトンネルであったりするかもしれません。そこで、本書を終えるにあたり、今回のワクチン接種での問題点や、今後想定される新たなパンデミックとそれに対する備えなどについて考えてみたいと思います。

新型トリインフルエンザは十分想定される脅威です。(1) インフルエンザのウイルスは動物界に広く分布しており、ヒトを含む哺乳類や鳥類それぞれの種に固有なウイルスとして存在しています。ただし、ウイルスを保有しているアヒルやカモなどの水鳥の多くには症状は出ません。そのウイルスが、ニワトリや七面鳥などの家禽《かきん》に感染すると症状が出現します。ニワトリなどでは強毒性を発揮して死に至らせることがあります。この感染症は、高病原性トリインフルエンザとよばれ、最近でも、日本各地で流行し、ニワトリの大量殺処分が行われています。

二〇〇八年六月一九日の時点で、WHOに報告されたヒトへのトリインフルエンザ（H5N1）感染症例数は三八五人ですが、感染はトリインフルエンザウイルスによって死んだ鳥や病鳥と濃厚接触した場合に限られます。すなわち、毛をむしったり調理をしたりといった場合です。しかし、トリからヒトへの感染が繰返されると、ウイルスがヒトの体内で増えることができるように変異し、さらにヒトからヒトへ感染できるように変異する可能性も考えられます。トリインフルエンザウイルスがブタの体内でヒトインフルエンザウイルスと混合感染して、いわば合体することによりヒトに感染しやすいウイルスに変異する心配もあります。新型インフルエンザウイルスはこうした経緯によって発生するだろうと予想され、将来パンデミックをひき起こす恐れのあるウイルスの一つです。(2) そのほか、新型コロナウイルスの仲間のコロナウイルスが新たなパンデミックの原因になる可能性もありますし、未知のウイルスが登場する恐れもあります。ですから、ワクチンが功を奏して今回の新型コロナウイルスによるパンデミックが終息を迎えたとしても安心はできません。

本書で述べてきましたように、新型コロナウイルス感染症のパンデミックの解決にはワクチンへの大きな期待があります。しかし、ワクチン接種によりすべての問題が解決するという考えは過ちです。インフルエンザ、ヘルペス、結核などの感染症では、薬がワクチンの役割を補完しました。エイズではそもそも有効なワクチン開発がなされなかったので、もっぱら薬および検査システムの充実によって人々はエイズから救われました。

新型コロナウイルス感染症ではワクチンが素晴らしい効果を上げつつありますが、変異ウイルスの出現には注意が必要です。スペイン風邪で大量の死者が出たのは、第二波の流行でした。第二波では死亡率が第一波に比べて四倍超にはねあがりました。今となっては、強毒な変異ウイルスの出現がその原因であったかどうかは確認するすべはありませんが、新型コロナウイルスでは活発な変異ウイルスが出現しています。ワクチン効果を巧みに潜り抜けるような強毒性の変異株が万一出現したときには、抗ウイルス薬をはじめとする薬に頼らざるを得ませんし、抗ウイルス薬と抗炎症薬の併用療法などが重症になった患者のよりどころとなります。

また、今回のパンデミックで培われた公衆衛生の知恵も見逃せません。マスク着用、手洗いの励行、三密の回避などは、ワクチンが功を奏しても今後も継続されなければならない大切な知恵です。

加えて強調したいことは、第8章「パンデミックと国家安全保障」で述べましたように、ワクチンが単なる医療物質ではなく、国家安全保障にかかわる戦略物質に変貌してきたという事実です。中国とロシアはワクチン外交を展開しています。わが国は、ワクチン開発において実績をもっていましたが、現在は弱体化しています。今後も感染症パンデミックのリスクは高いので、ワクチン開発に力を注いでもよいのではないでしょうか。

明るい側面としては、今回の新型コロナウイルス感染症のパンデミックにより遺伝子ワクチンにおける貴重な経験を積むことができたことがあげられます。この面でのさらなる発展を期待して、筆をおきたいと思います。

謝　辞

筆者が国立予防衛生研究所（現国立感染症研究所）ならびに東燃(株)基礎研究所でワクチニアウイルスのＶＶワクチンの開発研究を行っていたときに、自ら開発されたワクチニアウイルスのワクチン株をご提供いただき、共同研究開発にご尽力いただいた橋爪 壮千葉大学名誉教授（一九二六～二〇一六年）に深謝いたします。

国際連合 世界保健機関（ＷＨＯ）で天然痘根絶本部長を務められ、天然痘根絶に関する貴重な体験を教えていただき、また、感染症パンデミックの克服に関する貴重な知恵を授けてくださった蟻田 功博士（一九二六年～）に深謝いたします。

山内一也東大名誉教授（一九三一年～）には、東燃基礎研究所における牛疫ＶＶワクチン開発で教えを賜り、また、多数のウイルス関連の貴重なご著書を寄贈いただいたことに深謝いたします。そのいくつかは、本書の参考にさせていただきました。

また、国立予防衛生研究所でのワクチン開発の共同研究者であり、動物ワクチンに関する情報を寄せていただいた安田幹司博士、東燃基礎研究所でのウシ白血病ワクチン開発の共同研究者であり、本書にコメントをいただいた丸山和恵博士、新型コロナウイルス関連の貴重な最新情報をいただいた松田啓一博士に深謝いたします。

最後に、東京化学同人編集部の杉本夏穂子氏には編集にあたり貴重なご指摘をいただいたことに深謝すると共に、同社住田六連代表取締役社長には、本書の出版の機会を与えていただいたことに深謝いたします。

手引き（第 4.2 版）」
3. 日本感染症学会ホームページ「COVID-19 に対する薬物治療の考え方（第 7 版）」2021 年 2 月 1 日
4. 厚生労働省ホームページ「新型コロナウイルス感染症の“いま”に関する 11 の知識」2021 年 2 月
5. 日経バイオテク ONLINE 2020 年 9 月 30 日「新型コロナの予防にも治療にも期待される中和抗体医薬」千葉 丈
6. 厚生労働科学研究「COVID-19 回復者血漿治療の有効性・安全性に関する基礎的，臨床的検討」（https://covipla.ncgm.go.jp/index.html）

第 7 章

1. 新村芳人,「イヌはいつ, どこで, どのようにしてイヌになったのだろうか?」, 現代化学 2021 年 3 月号および 4 月号.
2. 外岡立人，「新型インフルエンザ・クライシス」，岩波書店(2009).
3. 塚本健司，「家畜用次世代ワクチンの開発の現状――鶏ウイルスベクターワクチンを中心に」, 日本中医師会雑誌, **53**, 189 (2000).
4. 平成 29 年度厚生労働行政推進調査事業(医薬品・医療機器等レギュラトリーサイエンス政策研究事業)「異種抗原を発現する組換え生ワクチンの開発における品質／安全性評価のありかたに関する研究」総合報告書より抜粋「感染症の予防を目的とした組換えウイルスワクチンの開発に関する考え方」

第 8 章

1. 朝日新聞 GLOBE ＋「新型コロナ，封じ込めの「最大の敵」は情報操作だ スペインかぜの教訓」北川 淳
2. BBC NEWS “The Chinese doctor who tried to warn others about coronavirus” Stephanie Hegarty
3. NHK BS 世界ドキュメンタリー「さまよえる WHO――米中対立激化の裏側」
4. 杉本正信, 橋爪 壮,「ワクチン新時代――バイオテロ・がん・アルツハイマー」, 岩波書店(2013).

おわりに

1. 厚生労働省ホームページ「政策レポート：鳥インフルエンザと新型インフルエンザ」
2. 山内一也，「ウイルスの世紀――なぜ繰り返し出現するのか」，みすず書房(2020).

with acute respiratory distress syndrome". *Sci. Immunol.*, **5**, eabd2071 (2020). DOI:10.1126/sciimmunol.abd2071; J. Braun *et al.*, "Presence of SARS-CoV-2-reactive T cells in COVID-19 patients and healthy donors", *medRxiv* (2020). DOI: 10.1101/2020.04.17.20061440
7. J. Mateus *et al.*, "Selective and cross-reactive SARS-CoV-2 T cell epitopes in unexposed humans", *Science*, **370**, 89 (2021). DOI: 10.1126/science.abd3871
8. A. Miller *et al.*, "Correlation between universal BCG vaccination policy and reduced morbidity and mortality for COVID-19: an epidemiological study", *medRxiv* (2020). DOI: 10.1101/2020.03.24.20042937
9. 杉本正信，大石和恵，「細胞性免疫によるエイズ克服戦略」，日本細菌学雑誌，**51**, 559 (1996).
10. 杉本正信，「エイズとの闘い I & II」，科学のとびら，東京化学同人（1988, 1999）.

第 4 章

1. 日本疫学会ホームページ「COVID-19 ワクチン開発のための「人チャレンジ試験」が許容される WHO 倫理基準の公表」
2. 英国政府 2021 年 2 月 17 日プレスリリース "World's first coronavirus Human Challenge study receives ethics approval in the UK"

第 5 章

1. WHO ホームページ "Coronavirus disease (COVID-19)/Situation reports" より 20210413_Weekly_Epi_Update_35(1).pdf
2. 英国政府 2021 年 1 月 22 日プレスリリース "NERVTAG paper on COVID-19 variant of concern B.1.1.7"
3. 杉本正信，古市泰宏，「老化と遺伝子」，東京化学同人（1998）.
4. B.H. Hahn *et al.*, "Genetic variation in HTLV-III/LAV over time in patients with AIDS or at risk for AIDS", *Science*, **232**, 1548 (1986). DOI: 10.1126/science.3012778
5. F. Wu *et al.*, "A new coronavirus associated with human respiratory disease in China", *Nature* (London), **579**, 265 (2020). DOI: 10.1038/s41586-020-2008-3
6. M. Bouvet *et al.*, "RNA 3′-end mismatch excision by the severe acute respiratory syndrome coronavirus nonstructural protein nsp10/nsp14 exoribonuclease complex", *Proc. Natl. Acad. Sci. U.S.A.*, **109**, 9372 (2012). DOI: 10.1073/pnas.1201130109
7. 水谷哲也，「新型コロナウイルスを知ろう」，現代化学 2020 年 5 月号.

第 6 章

1. 馬場昌範，「1. 抗ウイルス薬研究の歩み」，ウイルス，**55**, 69 (2002).
2. 厚生労働省ホームページ「新型コロナウイルス感染症（COVID-19）診療の

(2021). DOI: 10.1016/S0140-6736(21)00234-8
ジョンソン＆ジョンソン：J. Sadoff *et al.*, “Safety and Efficacy of Single-Dose Ad26.COV2.S Vaccine against Covid-19”, *N. Engl. J. Med.*, April 21, 2021. DOI: 10.1056/NEJMoa2101544
8. M.G. Thompson *et al.*, “Interim Estimates of Vaccine Effectiveness of BNT162b2 and mRNA-1273 COVID-19 Vaccines in Preventing SARS-CoV-2 Infection Among Health Care Personnel, First Responders, and Other Essential and Frontline Workers — Eight U.S. Locations, December 2020–March 2021”, *MMWR*, **70**, 495(2021).
9. ファイザー社 2021 年 4 月 1 日プレスリリース “Pfizer and BioNTech Confirm High Efficacy and No Serious Safety Concerns Through Up to Six Months Following Second Dose in Updated Topline Analysis of Landmark COVID-19 Vaccine Study”
モデルナ社 2021 年 4 月 13 日プレスリリース “Moderna Provides Clinical and Supply Updates on COVID-19 Vaccine Program Ahead of 2nd Annual Vaccines Day”

第3章

1. N. van Doremalen *et al.*, “ChAdOx1 nCoV-19 vaccine prevents SARS-CoV-2 pneumonia in rhesus macaques”, *Nature* (London), **586**, 578 (2020). DOI: 10.1038/s41586-020-2608-y
2. R.J. Cox and K.A. Brokstad, “Not just antibodies: B cells and T cells mediate immunity to COVID-19”, *Nature Reviews Immunology*, **20**, 581(2020).
3. T. Sekine *et al.*, “Robust T Cell Immunity in Convalescent Individuals with Asymptomatic or Mild COVID-19”, *Cell*, **183**, 158 (2020). DOI: 10.1016/j.cell.2020.08.017
4. N. Le Bert *et al.*, “Highly functional virus-specific cellular immune response in asymptomatic SARS-CoV-2 infection”, *J. Exp. Med.*, **218**, e20202617 (2021). DOI: 10.1084/jem.20202617
5. G. Breton *et al.*, “Persistent cellular immunity to SARS-CoV-2 infection In Special Collection: COVID-19: from basic science to therapeutics”, *J. Exp. Med.*, **218**, e20202515 (2021). DOI: 10.1084/jem.20202515
6. N. Le Bert *et al.*, “SARS-CoV-2-specific T cell immunity in cases of COVID-19 and SARS, and uninfected controls”, *Nature*(London), **584**, 457 (2020). DOI:10.1038/s41586-020-2550-z; A. Grifoni *et al.*, “Targets of T cell responses to SARS-CoV-2 coronavirus in humans with COVID-19 disease and unexposed individuals”, *Cell*, **181**, 1489 (2020). DOI:10.1016/j.cell.2020.05.015; B. J. Meckiff *et al.*, “Single-cell transcriptomic analysis of SARS-CoV-2 reactive $CD4^+$ T cells”, *bioRxiv* (2020). DOI: 10.1101/2020.06.12.148916; D. Weiskopf *et al.*, “Phenotype and kinetics of SARS-CoV-2-specific T cells in COVID-19 patients

参 考 資 料

第1章

1. 蟻田 功,「天然痘根絶ターゲット・0」, 毎日新聞社 (1979).
2. I. Arita, "The Smallpox Eradication Saga, An Insider's View", ed. by A. Schnur and M. Sugimoto, Orient BlackSwan (2010).
3. 国立感染症研究所ホームページ「結核とは」
4. 山内一也,「史上最大の伝染病 牛疫——根絶までの4000年」, 岩波書店 (2009).
5. 米国農務省動植物検疫局ホームページ (https://www.aphis.usda.gov/aphis/) "National Rabies Management Program"
6. "The oral vaccination of foxes against rabies", Report of the Scientific Committee on Animal Health and Animal Welfare Adopted on 23 October 2002
7. 杉本正信,「エイズとの闘い I & II」, 科学のとびら, 東京化学同人 (1988, 1999).

第2章

1. ファイザー社:F.P. Polack *et al.*, "Safety and Efficacy of the BNT162b2 mRNA Covid-19 Vaccine", *N. Engl. J. Med.*, **383**, 2603 (2020). DOI: 10.1056/NEJMoa2034577
   モデルナ社:L.R. Baden *et al.*, "Efficacy and Safety of the mRNA-1273 SARS-CoV-2 Vaccine", *N. Engl. J. Med.*, **384**, 403 (2021). DOI: 10.1056/NEJMoa2035389
   アストラゼネカ社:M. Voysey *et al.*, "Safety and efficacy of the ChAdOx1 nCoV-19 vaccine (AZD1222) against SARS-CoV-2: an interim analysis of four randomised controlled trials in Brazil, South Africa, and the UK", *Lancet*, **397**, 99 (2021). DOI: 10.1016/S0140-6736(20)32661-1
   日本感染症学会ホームページ「COVID-19 ワクチンに関する提言 (第2版)」
2. 日本RNA学会ホームページ「走馬灯の逆廻しエッセイ第28話:コロナウイルスへのメッセンジャーRNAワクチン」古市泰宏
3. J.A. Wolff *et al.*, "Direct gene transfer into mouse muscle *in vivo*", *Science*, **247**, 1465 (1990). DOI: 10.1126/science.1690918
4. 位高啓史ほか,「mRNA医薬開発の世界的動向」, 医薬品医療機器レギュラトリーサイエンス, **50**, 242 (2019).
5. 厚生労働省ホームページ「新型コロナワクチンの有効性・安全性について」
6. 杉本正信ほか,「国産天然痘ワクチンの新たな役割:バイオテロ対策およびベクターとしての利用」, 蛋白質 核酸 遺伝子, **48**, 1693 (2003).
7. スプートニクV:D.Y. Logunov *et al.*, "Safety and efficacy of an rAd26 and rAd5 vector-based heterologous prime-boost COVID-19 vaccine: an interim analysis of a randomised controlled phase 3 trial in Russia", *Lancet*, **397**, 671

杉《すぎ》 本《もと》 正《まさ》 信《のぶ》

1943 年東京生まれ．1966 年東京大学薬学部 卒．1971 年東京大学大学院薬学系研究科博士課程 修了．薬学博士．専門は免疫ウイルス学ならびに細胞生物学．国立予防衛生研究所（現 国立感染症研究所）主任研究官，一般病理室長を経て，東燃(株)基礎研究所主席研究員．この間，米国ハーバード大学医学部研究員として免疫学およびウイルス学の研究に従事，長崎大学熱帯医学研究所客員助教授としてワクチン開発研究に関与する．その後，(株)エイジーン研究所，(株)ジーンケア研究所にて，老化の研究を行う．おもな著書に「エイズとの闘いⅠ，Ⅱ」，「老化と遺伝子（共著）」（ともに東京化学同人），「ヒトは一二〇歳まで生きられる」（筑摩書房），「ワクチン新時代」，「生物学の基礎はことわざにあり」（ともに岩波書店）などがある．

新型コロナワクチン

遺伝子ワクチンによる
パンデミックの克服

杉 本 正 信 著

2021 年 5 月 24 日 第 1 刷 発行

ISBN978-4-8079-2016-7

発行者
住 田 六 連

発行所
株式会社 東京化学同人

東京都文京区千石 3-36-7（〒112-0011）
電話 (03)3946-5311
FAX (03)3946-5317
URL http://www.tkd-pbl.com/

印刷・製本　新日本印刷株式会社

Printed in Japan